D0310228

Openbare Bibliotheek
Slotermeer
Slotermeerlaan 103 E
1063 JN Amsterdam
Tel.: 020 - 61.31.067
www.oba.nl

afgeschreven

Let's talk about...

SEKS, SCHAAMHAAR, SCHARRELS EN MEER

Openbare Bibliotheek
Slotermeer
Slotermeerlaan 103 E
1063 JN Amsterdam
Tel.: 020 - 61.31.067
www.oba.nl

Let's talk about...

SEKS, SCHAAMHAAR, SCHARRELS EN MEER

Nicolette Kluijver

GET IN THE RHYTHM

KEFF & DESSING
PUBLISHING

ism PROMETHEUS

Colofon

@ 2013 Nicolette Kluijver

Let's talk about... is een uitgave van Keff & Dessing Publishing in samenwerking met Uitgeverij Prometheus.

Ontwerp	Diewertje van Wering
Foto omslag	Michel Mölder
Visagie	Martine Eger
Illustraties	Marije Wonder
Seksuoloog	Minke de Boer
Redactie	Aranka van der Pol

Drukwerk	Wilco Amersfoort
ISBN	978 90 446 2423 6
NUR	400

Eerste druk oktober 2013

Speciale dank aan:
Joost Staudt / Floortje Dessing

Niets uit deze uitgave mag worden verveelvoudigd en/of openbaar gemaakt door middel van druk, fotokopie, microfilm of op welke wijze ook, zonder voorafgaande schriftelijke toestemming van de uitgever. De uitgever heeft getracht alle rechthebbenden te achterhalen. Aan hen die desondanks menen aanspraak te kunnen maken op enig recht, wordt verzocht contact op te nemen met Keff & Dessing Publishing, Haarlemmerstraat 36, 1013 ES Amsterdam.

Met de aankoop van dit boek steun je het werk van STOP AIDS NOW!
STOP AIDS NOW! bestrijdt aids in ontwikkelingslanden en richt zich daarbij
vooral op vrouwen, jongeren en kinderen. STOP AIDS NOW! zorgt voor opvang,
behandeling en inkomen, geeft aidswezen een toekomst en helpt via voorlichting
verspreiding van hiv en aids te remmen.

'Voor STOP AIDS NOW! was ik een paar jaar geleden in Kenia. Het raakt mij enorm
dat zoveel jonge mensen in Afrika hiv hebben. En dat ze vaak helemaal niets weten
over het virus. Dat moet en kan anders. STOP AIDS NOW! doet er alles aan om
jonge levens te redden. Elk meisje en elke jongen verdient een hiv-vrije toekomst.'

Nicolette

Voorwoord

Tijdens de opnames voor *Spuiten en Slikken* heb ik heel wat bijzondere seksverhalen gehoord, spannende ervaringen beleefd en vaker dan me lief was tussen de lakens mogen meekijken. Ook privé heb ik seks altijd een interessant onderwerp gevonden. Een onderwerp waar je uren over kunt praten met vriendinnen, maar dat je ook kwetsbaar maakt of juist in een euforische staat brengt. Liefde, lust, onzekerheid, vertrouwen, overgave, extase, verleiding, hygiëne, humor, veiligheid, techniek, er komt zoveel kijken bij seks. Zo valt er altijd nog wel iets te ontdekken.

Gek genoeg is seks, ook al weten we dat bijna iedereen het doet, vaak een taboe om over te praten. Met dit boek hoop ik daar een beetje verandering in te kunnen brengen. Want iedereen heeft wel eens te hard aan een penis getrokken, getwijfeld aan de eigen maten en proporties en gefantaseerd over iets zonder het te durven bespreken.

Is seks jouw favoriete onderwerp of praat je er juist liever niet over, hou je van prikkelende verhalen of zoek je spannende standjes? Geniet dan van dit boek vol anekdotes, weetjes, tips en trucs. Ontdek, lach, lees en krijg rode wangen.

Let's talk about sex, baby!

Nicolette Kluijver

VOOR ALLE ZURE RECENSENTEN: LAAT JE ZELF GEWOON EENS EVEN GOED NEMEN, DAT LUCHT OP!

INHOUDSOPGAVE

WAT IS DE PERFECTE TONGTECHNIEK?
HOE BELEEF JE EEN URENLANG
ORGASME? EN WELKE PIERCING
ZORGT VOOR ULTIEM GENOT?

ZOENEN

(1)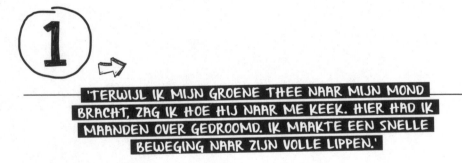

'TERWIJL IK MIJN GROENE THEE NAAR MIJN MOND BRACHT, ZAG IK HOE HIJ NAAR ME KEEK. HIER HAD IK MAANDEN OVER GEDROOMD. IK MAAKTE EEN SNELLE BEWEGING NAAR ZIJN VOLLE LIPPEN.'

Zoenen is een onderschat talent. Het lijkt zo makkelijk, maar ik heb zoveel mannen gezoend die het totaal niet konden. En dan hebben we het alleen nog over de techniek, maar er komt veel meer bij kijken. Het begint al bij de geur. Wanneer je in de buurt komt van een bovenlip, wil je niet dat deze nog ruikt naar de Cup-a-Soup van een uur geleden. Ik maak nu dan ook graag van de mogelijkheid gebruik om mannen (maar ook vrouwen) te adviseren niet alleen een pepermuntje te nemen, maar ook meteen hun bovenlip onder de kraan te houden. En duw alsjeblieft niet meteen zo'n lap tong naar binnen. Begin rustig en bouw het op, anders eindigt het voordat het begonnen is.

⇩

Zoenen   01

Zo was dat met mij en die knappe acteur. Ik was al een tijdje gek op hem. We gingen wekelijks – als vrienden – uit en ondanks het feit dat er een duidelijk voelbare spanning tussen ons was, gebeurde er nooit iets. Ik fantaseerde wel eens hoe het zou zijn als we zo'n avond zoenend zouden eindigen. In mijn hoofd was het een filmkus die een Oscar zou winnen, in de regen onder een lantaarnpaal vlak bij onze stamkroeg. Hij zou mijn natte haren uit mijn gezicht strijken en me hartstochtelijk kussen. Minutenlang zouden we daar staan, innig verstrengeld. Voorbijgangers zouden ons voor gek verklaren, maar ons zou het niet kunnen schelen. We zouden in elkaar opgaan, elkaar proeven en onze warme lichamen onder de natte kleding voelen tintelen. De kus zou overgaan in een fietstocht. Ik achter op zijn herenfiets. In mijn dunne doorweekte zomerjurk die tegen mijn borsten en benen kleeft. Hij die zijn best doet me snel thuis te brengen om me daarna in een grote handdoek af te drogen en de zoen te hervatten.

Niets maar dan ook niets van deze zoenfantasie is ooit uitgekomen. Het kwam niet eens in de buurt. De fiets was een scooter met kapotte uitlaat, die de hele weg van onze

DE LANGSTE KUS

Het record zoenen wordt gehouden door een Thais stel dat maar liefst 58 uur, 35 minuten en 58 seconden lang met elkaar zoende tijdens een wedstrijd waar negen koppels streden om het record. Naar verluidt was er speciaal voor deze situatie een toilet gemaakt, zodat zij tijdens het plassen konden blijven zoenen.

stamkroeg tot aan mijn huis zo'n takkenherrie maakte dat mensen hun ramen openden om hun mening te uiten. Ik schaamde mij niet, want ik had een paar wijntjes op en hoopte nog steeds op het vuurwerk waarover ik had gefantaseerd. Bijna bij mijn huis vroeg ik of hij binnen nog een afzakkertje kwam drinken. Hij zei nee. Wat? Waarom? Hij kwam wel vaker voor de gezelligheid nog een drankje doen. Vrij snel volgde het antwoord op zijn nee. In de vorm van een bruine golf kots tegen de net geplante klimop. 'Sorry hoor,' zei hij lachend, 'er zat me iets dwars.' Dat kon je wel zeggen. Ik moest lachen, blij dat dit de reden van de afwijzing was. Met een kus op de wang nam ik afscheid.

Twee dagen later deden we toevallig mee aan hetzelfde programma. Hij speelde een rol in het lokale theatergezelschap en ik maakte daar voor mijn werk een item over. Ik had

'IN DE REGEN ONDER EEN LANTAARNPAAL ZOU HIJ ME HARTSTOCHTELIJK KUSSEN.'

BESMETTELIJKE KUS

Als een van beide zoeners een soa in de mondholte heeft, dan is er een klein risico op het overdragen van gonorroe, syfilis, candida en hepatitis B. Ook ziektes die niet tot de soa behoren, zoals herpes simplex (koortslip) of Pfeiffer, kunnen door zoenen overgedragen worden.

er zin in. Met name omdat voor ons beiden geldt dat als we werken, we niet of nauwelijks drinken. Dus wellicht was er dit keer een kans op een kus.

Na het werk zaten we samen in de taxi naar huis. Nee, niet in de regen achter op zijn herenfiets. Maar dat maakte me allemaal niet zoveel meer uit. Als die hartstochtelijke zoen er maar kwam. Ik werd als eerste afgezet en vroeg hem of hij nog een kopje thee wilde. Hij zei ja. Mijn adem stokte en ik probeerde mijn enthousiasme niet te veel te laten blijken. Want een kopje thee drinken betekent in de volksmond gewoon een tongetje draaien. Tenminste, voor mij dan. Even later zat hij met de kat op de vale leren bank in de woonkamer alsof 'ie nooit meer wegging. Ik genoot van zijn aanwezigheid, zijn lage stem en hoekige bewegingen, die iets heel mannelijks hadden. Een leuke vent, maar geen relatiemateriaal. Dat wist ik wel, daarvoor was hij te onaangepast. Ik kon er niet precies mijn vinger op leggen wat het was. Was hij een vreemdganger? Een fetisjist? Ik was bij hem altijd bang dat er een kast met lijken open zou gaan. Maar dat maakte hem niet minder aantrekkelijk, mysterieus en sexy. Terwijl ik mijn groene thee naar mijn mond bracht, zag ik hoe hij naar me keek. Hier had ik maanden over gedroomd. Hij kwam boven mijn stomende kop thee hangen en ik maakte een snelle beweging naar zijn volle lippen. Zoals een waar acteur betaamt, maakte hij meteen een lekkere move. Maar waar was zijn tong? We waren aan het 'tongen' zonder tong. We waren gewoon aan het filmkussen!

Ik vond het niets, dus ik gooide zelf mijn tong in de strijd en gaf hem een echte

Waarom kussen we?

Antropologen en biologen hebben hiervoor verschillende verklaringen gevonden. Een daarvan is dat in de oertijd, toen er nog geen potjes babyvoeding bestonden, ouders het eten moesten voorkauwen voor hun kinderen om het vervolgens mond-op-mond te voeren. Hoewel noodzakelijk, was het ook een liefdevolle handeling die vervolgens door liefdespartners werd nagedaan.

zoen. Hij beantwoordde dat met een gigantische (ik overdrijf niet) lap vlees, die hij achter in mijn keel duwde. Wist hij dat ik vegetariër ben? De tong draaide grote achten door mijn mond. Met lange halen langs mijn tanden, bijna tot aan mijn huig. Ik voelde een stukje brood loskomen uit mijn achterste kies, waarop hij mijn verhemelte zo aflikte dat ik er bijna van moest kokken. Maar meneer de acteur zat zo goed in zijn rol dat hij niet opgaf. Alsof ik in een scène van *Baantjer* zat en de doodsoorzaak verstikking was. Het moest stoppen nu, anders ging ik echt over mijn nek. Met moeite wist ik mijn mond los te koppelen van de zijne. Het maakte ongeveer hetzelfde geluid als een ontstopper die loskomt van de pot.

'Ik voelde een stukje brood loskomen uit mijn achterste kies.'

Nu moest ik het op zijn gevoel gooien. 'Dit moeten we niet doen. We zijn vrienden.' 'Klopt,' zei hij totaal verward. 'Maar kom, wat kan ons het schelen,' probeerde hij. Ik dacht: wat kan ons het schelen? Heel veel! En mijn tandarts was het er ook niet mee eens, want je zoog al mijn vullingen eruit.
'Sorry, maar het kan echt niet,' zei ik lief met een mond die helemaal trok van al het opgedroogde speeksel rond mijn wangen.
Met een teleurgestelde blik keek hij me aan, stamelde een 'oké' en vertrok.

Tot de dag van vandaag heb ik de acteur nooit meer gezien. Ik hoorde laatst dat hij in een nieuw theaterstuk speelt in Amsterdam. Ik hoop dat de regisseur niet wil dat hij echt gaat zoenen, want dat zou een show worden. Maar eerlijk is eerlijk: ik mag mezelf dan inschatten als een heel fijne kusser, ik heb het nog nooit op de man af gevraagd. Misschien heb ik een verkeerd beeld. Mijn lippen zijn wel altijd schoon (denk aan de lip onder de kraan), mijn tanden gepoetst en mijn tong beweegt niet als een slang die voor het eerst in zijn leven uit zijn terrarium wordt gelaten.

Zoenen in verschillende landen

In westerse landen is het doorgaans redelijk geaccepteerd om in het openbaar te zoenen. In verschillende Aziatische landen is dit echter niet het geval.

India

Zo werd Richard Gere in 2007 in India aangeklaagd omdat hij in het openbaar Bollywoodster Shilpa Setty op de wang had gekust. Een inwoner van Delhi nam aanstoot aan de zoen en diende een klacht in. Richard Gere heeft uitgebreid zijn excuses gemaakt en de aanklacht werd op de lange baan geschoven.

ZOENEN IS GEZOND!

Zoenen kan stressreducerend werken, blijkt uit onderzoek. Stellen die vaak met elkaar zoenen, blijken minder stress te ervaren en lagere cholesterolwaarden te hebben dan stellen die dat minder vaak doen. Tijdens het zoenen wordt namelijk endorfine en dopamine aangemaakt, wat zorgt voor prettige gevoelens.

JE VERBRANDT TUSSEN DE

5 EN 26

CALORIEËN PER MINUUT, AFHANKELIJK VAN JE GEWICHT EN DE INTENSITEIT VAN DE ZOEN.

Ter vergelijking; met joggen verbrand je tussen de 10 en 20 calorieën per minuut.

BIJ EEN PASSIONELE ZOEN WORDEN TOT ZO'N

34

VERSCHILLENDE GEZICHTSSPIEREN GEBRUIKT.

TIJDENS EEN KUS WISSEL JE GEMIDDELD:

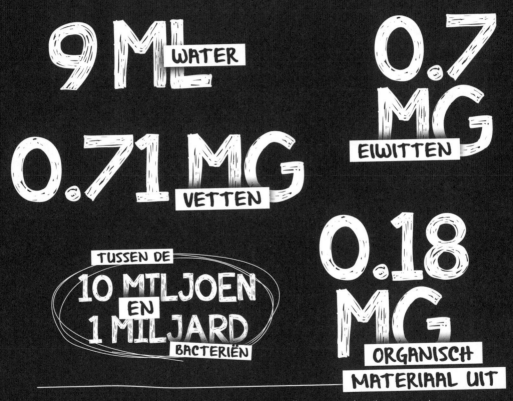

9 ML WATER

0.7 MG EIWITTEN

0.71 MG VETTEN

TUSSEN DE 10 MILJOEN EN 1 MILJARD BACTERIËN

0.18 MG ORGANISCH MATERIAAL UIT

Fervente zoeners zouden minder last hebben van allergieën en hooikoorts omdat de productie van het stofje dat hooikoorts en allergieën opwekt, histamine, tijdens het zoenen afneemt. Ook wordt gezegd dat zoenen tandbederf tegengaat door de toegenomen speekselproductie.

Bron: *The American Journal of Medicine* Joseph S. Alpert, 2013.

Hand

Ik kijk vaak naar handen. Handen en voeten van mannen vind ik op de een of andere manier heel belangrijk. Ze moeten schoon en verzorgd zijn en er mooi uitzien. Ik hou niet van voeten met gekke hamertenen of vreemde vormen. Eigenlijk heel oneerlijk, want mijn voeten hebben nu ook niet bepaald de schoonheidsprijs gewonnen. Handen vind ik nog belangrijker.

⇩

werk

'VOOR EENIEDER DIE DACHT DE DANS VAN HET VOORSPEL TE KUNNEN ONTSPRINGEN: NIET DUS. WIJ VROUWEN HEBBEN VOORSPEL NODIG. HOOR JE ME? NODIG!'

Handwerk

Die gaan immers in mijn hand, die raken je aan en daar heb je seks mee. Ik denk dat je meer seks hebt met handen dan met je geslachtsdeel. Handen glijden over je borsten, over je dijen, door je haar, over je lippen en uiteindelijk in je broek. De handen en de mond – deze is secundair naar mijn idee – maken het voorspel. En voor eenieder die dacht de dans van het voorspel te kunnen ontspringen: niet dus. Wij vrouwen hebben voorspel nodig. Hoor je me? Nodig! Daar komt mijn kleine obsessie voor handen vandaan. Helaas is handenverzorging voor mannen vaak een vies woord. Gek genoeg is de penis bij de meeste mannen vaak wel een schone zaak. Maar hoe kan het dan dat mannen voor het plassen niet hun handen wassen voordat ze die schone Jaap uit de broek halen? Ik begrijp het niet. Met die ranzige handen halen jullie Japie uit zijn kooi en bevuilen jullie hem met alle bacteriën die jullie net van de kruk van de wc-deur hebben opgedaan. Vervolgens wassen jullie na het plassen wel de handen. Huh? Ik ben dus een groot voorstander van wassen voor het plassen. Maar dit terzijde.

Waarom is de hygiëne van de mannelijke hand nu zo belangrijk voor de gezelligheid en geiligheid in bed? Dat zal ik even uitleggen. Onze poes heeft onder de douche een eigen zeepje, speciaal voor de vagina (niet te vaak mee wassen by the way). Wij scheren ons (tenminste de meesten) voor we gaan seksen,

CURSUS VINGEREN

In het tv-programma *Zomergasten* gaf Hans Teeuwen een minicursus vingeren. Zo gaf hij aan altijd twee vingers te gebruiken en zei hij dat vingeren vooral een kwestie is van ausdauer, ofwel uithoudingsvermogen. Ook online zijn diverse cursussen te vinden om goed te leren vingeren. Maar natuurlijk geldt ook hier: iedereen is anders, dus vraag haar wat ze lekker vindt of let goed op de reacties.

 Aftrekken

Bij aftrekken sluit je je hand om de penis en beweeg je deze op en neer. Hoe stevig je de hand om de penis sluit, is een kwestie van smaak. De ene man houdt meer van stevig en de ander van zacht. Anders dan de naam wellicht doet vermoeden, is het niet de bedoeling echt aan de penis te trekken. Je kunt je hele hand gebruiken, of alleen duim en wijsvinger. Je kunt over de hele penis heen en weer bewegen of je vooral richten op de eikel. Je kunt langzaam bewegen of juist snel. Door wat te variëren, merk je vanzelf wat leidt tot de meeste opwinding.

 Vingeren

> 'ENKEL IN EN UIT DE VAGINA BEWEGEN DOET HET VOOR DE MEESTE VROUWEN NIET.'

Aan de buitenkant van de vagina zit doorgaans meer gevoel dan aan de binnenkant. De meeste vrouwen raken dus sterker opgewonden door het strelen van schaamlippen en clitoris dan enkel in en uit de vagina te bewegen. Het voordeel is dat vingers heel behendig zijn, veel meer dan een penis en vaak ook dan een tong. Daardoor kunnen snelle en langzame, zachte en harde bewegingen elkaar goed afwisselen. Hoewel je natuurlijk prima door vingeren tot een hoogtepunt kunt komen, is voor veel mensen vingeren ook een manier om de opwinding te vergroten.

Opgewonden

> 'VROUWEN KRIJGEN EEN 'SEKSBLOS': RODE VLEKJES OP HET ONDERLIJF DIE ZICH UITSPREIDEN TOT AAN DE HALS.'

Bij seksuele opwinding gebeurt er van alles in het lijf, veel meer dan enkel het stijf worden van de penis of het nat worden van de vagina. Hartslag en bloeddruk nemen toe en de ademhaling versnelt. Bij vrouwen zwellen de borsten tot wel 25%. De schaamlippen zwellen op, de clitoris wordt groter en de vaginabuis verdiept en verbreedt zich. Bij mannen worden de ballen tot 50% groter en komen deze dichter tegen het lijf aan te liggen doordat de balzak zich samentrekt.

we knippen en wassen de boel daarbeneden en we stoppen onze schone poes vervolgens in een mooi ondergoedje. Als we niet goed bezig zijn met de hygiëne daarbeneden, dan – dit is geen fabel, maar een feit – ruiken we naar de IJmuidense visafslag. En dus geven we al onze zorg en aandacht aan onze poes. Dan is het dus niet de bedoeling dat je daar met een besmeurde hand en nagels met rouwranden in gaat zitten wroeten. Want die vingers komen er weer schoon en blinkend uit, terwijl de tuinaarde in onze poes achterblijft. Handen wassen dus. En met die schoongewassen handen en geknipte nagels daarna langzaam te werk gaan.

'HET IS DUS NIET DE BEDOELING DAT JE MET EEN BESMEURDE HAND IN ONZE SCHONE POES GAAT ZITTEN WROETEN.'

De handen van de man zijn het instrument van Cupido. Mannen met goed vingerwerk zijn binnen. Figuurlijk dan in ieder geval. Ik denk dat – hoewel dat ik het nooit echt heb geprobeerd – je als vrouw het best een vingerwerkje kunt gaan halen bij een andere vrouw. Zij weet exact wat fijn is en wat niet. Mannen gaan naar mijn idee iets te snel op hun doel af, waardoor het in de stemming komen wordt overgeslagen. En als ik niet in de stemming ben dan komt het er misschien wel van, maar sta ik de volgende dag niet te jubelen bij mijn vriendinnen. Doe het met beleid, een poes is niet hetzelfde als een piemel waar je hard aan kunt trekken. Het is de bedoeling dat we genieten en niet het gevoel krijgen alsof de gynaecoloog een slechte dag heeft. Ik begrijp waar het gehaast vandaan komt met dat gevinger, maar het werkt bij ons iets anders dan bij de man. Al ben ik ook geen voorstander van rukken zoals je een cocktail shaket, toch kun je de man tussen de reclameblokken in wel even aan zijn trekken laten komen. Bij vrouwen gaat dat iets lastiger. Belangrijkste tip: je hoeft niet de hele tijd naar binnen. Achtjes draaien rond de spot en de tijd nemen doet wonderen.

Besnijdenis

Wereldwijd is ongeveer 30% van de mannen besneden, vooral in Joodse en islamitische landen. Bij een besnijdenis (circumcisie) wordt een deel van de voorhuid verwijderd. Hierdoor ligt de eikel niet alleen tijdens een erectie, maar continu geheel of gedeeltelijk bloot. Daardoor wordt de huid van de eikel iets harder en is de eikel vaak iets minder gevoelig. Bij het aftrekken van een besneden penis kun je niet de voorhuid vastpakken en deze heen en weer bewegen over de penis, maar schuif je je hand losjes heen en weer over de penis.

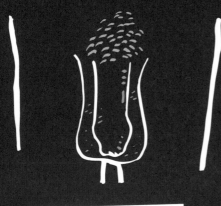

'BIJ EEN ONBESNEDEN PENIS IS DE EIKEL VAAK GEVOELIGER.'

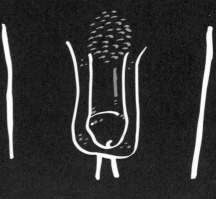

'BIJ EEN BESNEDEN PENIS SCHUIF JE JE HAND LOSJES HEEN EN WEER.'

Ik herinner mij één keer nog heel goed en met hem ben ik dan ook meteen getrouwd. Het begon al bij het aanraken van de hals. Teder streelde hij de haren uit mijn gezicht. Zijn handen waren zacht en warm. Ze roken naar lavendel. Met zijn vingers raakte hij mijn lippen aan en mijn tong speelde met het bovenste kootje van zijn duim. Hij pakte mijn haar stevig vast, greep het in een knot en kuste mij heftiger met zijn hele mond en tong. Langzaam liet hij los en ik miste zijn harde greep. Teder gingen zijn warme zachte handen door mijn haar. Zijn vingers kropen naar beneden en ontdeden langzaam ieder knoopje van mijn blouse. Mijn kanten roze bh kwam al tevoorschijn en hij kuste mijn nog half bedekte borsten. Daarna kropen zijn vingers weer langs ieder knoopje naar beneden. Al tongend deed hij mijn broek los en liet zijn hele hand mijn kanten ondergoed in glijden. En toen zijn – tja, hoe zal ik het noemen – vingerkunst was subliem. En ik dacht: ik wil nooit meer anders dan met een dokter. Hij kent blijkbaar de hoofdstukken anatomie van de vrouw heel goed!

GLIJMIDDEL
Sommige mannen vinden het lekker om tijdens het aftrekken wat glijmiddel of spuug te gebruiken, dan glijdt het nog soepeler. Vooral bij besneden mannen is dat een aanrader omdat het anders wat stroef kan worden.

Voorspel

Hoewel je natuurlijk prima door vingeren of aftrekken tot een hoogtepunt kunt komen, is het voor veel mensen ook een manier om de opwinding te vergroten; oftewel als voorspel. Bovendien is dit een van de weinige vormen van seks die je bij jezelf kunt doen.

⇩　　　⇩　　　⇩

Het is niet voor niets een cliché: voor vrouwen is voorspel vaak belangrijker dan voor mannen. Maar waarom is dat eigenlijk zo? Bij mannen is de lichamelijke opwinding heel duidelijk zichtbaar: de erectie. Het zien daarvan versterkt vervolgens het gevoel van opwinding (de subjectieve opwinding). Vrouwen daarentegen kunnen de eigen lichamelijke opwinding veel minder goed inschatten. Dit maakt dat vrouwen soms geneigd zijn te vroeg in het spel te beginnen aan gemeenschap terwijl het lijf er nog niet klaar voor is. 'O, hij heeft al een erectie en is er wel klaar voor, ik heb ook wel zin, dus laten we het maar proberen.' Dan is er een vergrote kans op pijn. De enige manier om zeker te weten dat zij er ook klaar voor is, is door met je vinger te voelen hoe nat ze is. En dan niet een beetje vochtig, maar echt nat.

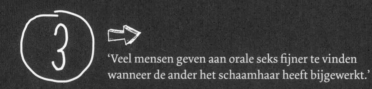

'Veel mensen geven aan orale seks fijner te vinden
wanneer de ander het schaamhaar heeft bijgewerkt.'

SCHAAM HAAR

Poseren voor *Playboy?* Ik zag het mezelf nooit doen. In je blootje wulps voor de camera dartelen terwijl een team van fotografen en stylisten je instructies geeft hoe je sexy moet kijken? En dan als het blad in de winkels ligt van die vieze mannetjes die zich aftrekken op jouw foto's? Mmm, dacht het niet.

SCHAAMHAAR

Hoe ik dan toch overstag ging? Oké, het geld hielp zeker. Maar het leek me ook spannend om te doen. Ik deed al jaren modellenwerk, maar had geen idee hoe het er in je blootje aan toe zou gaan. Best leuk voor een item van *Spuiten en Slikken*, vond ook de redactie. Dus ging ik voor de bijl.

Ik had vooraf gesprekken met hoofdredacteur Jan Heemskerk over hoe en wat. Die gesprekken vonden altijd plaats op de meest onmogelijke locaties. Veelal hotels, waar zakenmensen van een kopje koffie genoten en de ogen en oren ineens wijd open gingen als wij aan een tafeltje plaatsnamen. 'Heb jij schaamhaar?' vroeg Jan aan het einde van een van die gesprekken. Ineens begreep ik waar het woord schaam vandaan komt. Je kent iemand amper, hij wil betalen om jou naakt te zien, maar er moet dan wel een

'HET WAS EEN MOEDELOOS DOTJE PUNKHAAR, NIET BEPAALD OPWINDEND.'

bloedserieus gesprek gevoerd worden over je schaamhaar.

'Ja, wat is er met mijn schaamhaar?' probeerde ik op zo'n neutraal mogelijke toon.

'Nou, dat moet één centimeter breed zijn en een paar millimeter lang. Ze zijn erachter gekomen dat de man klaar is met de kale poes, er mag weer haar op.'

'Oké, ik ga het proberen,' zei ik, draaide me om en liep het hotel uit. Eigenlijk wilde ik rennen. Het Okura Hotel was niet de plek waar ik wilde praten over mijn tuin.

Thuisgekomen realiseerde ik me ineens dat ik: 1. echt naakt ging poseren en 2. heel weinig haargroei heb. En weinig is een understatement. Maar goed, alles voor Jan, ik ging het proberen. Mijn kale tuin zou een landingsbaan worden en ik had precies vier weken. De ochtend van de shoot keek ik nog eens in mijn onderbroek. Een vlassig pubersnorretje keek mij droevig aan. Zijn haren triest naar beneden. Ik had mijn best gedaan. Niet echt geknipt en gekapt, goed gegeten, fijn geslapen, maar niets had geholpen. Het was een moedeloos dotje punkhaar, niet bepaald opwindend voor de *Playboy*-lezer.

SCHAAMHAAR VERWIJDEREN EEN TREND?

Het verwijderen van schaamhaar is op zich niets nieuws onder de zon. De Egyptenaren deden het al, net zoals de oude Grieken. En ook in islamitische landen is het een oud gebruik. Toch zien we in de westerse wereld de laatste decennia wel een trend. Waar de meesten in de 'hairy sixties' het lichaamshaar welig lieten tieren, werd de haargrens in de jaren daarna steeds verder verlegd.

Nogal zenuwachtig van dit alles stond ik 's middags in de regen en kou met een dikke jas voor een oude boerderij in Noord-Holland. Geen hagelwitte stranden, azuurblauwe zee of exotische cocktails, want ik had geen tijd om met het vliegtuig naar een Bounty-paradijs af te reizen. Het werd een landhuis in Nederland. Want zeg nou zelf, er is toch geen lezer die denkt: ach, wat hangt zij prachtig in die

SCHAAMLUIS OP UITSTERVEN?

De schaamluis, oftewel de Phthirus pubis, is het broertje van de hoofdluis en huist in het schaamhaar van de mens. In de laatste jaren zijn er verschillende keren berichten verschenen dat schaamluis minder vaak wordt gerapporteerd op soa-poli's. Wellicht wordt de schaamluis door het toegenomen ontharen zelfs wel met uitsterven bedreigd.

Het Natuurhistorisch Museum Rotterdam heeft sinds 2007 enkele exemplaren opgenomen in de collectie, bij de zeldzame diersoorten. In ieder geval lijkt volledige ontharing een probate methode ter voorkoming én ter behandeling van deze ongewenste gast.

palmboom? Het gaat erom hoe je kont er in die positie uitziet. Het is niet meer en niet minder. En omdat ik niet de ambitie had om gespraytanned ondersteboven in een palmboom met mijn kont omhoog op de foto te gaan, hoefden we ook niet ver te reizen.

'Wat leuk dat je er bent, Nicolette.' Jan begroette me met drie zoenen en ik liep naar binnen om de rest van de crew te ontmoeten. Tien mensen waren druk in de weer en ik vroeg me af waarmee. Er was zelfs een styliste. Geen idee waarvoor. Ik kreeg een glaasje bubbels aangereikt en dacht: waarom ook niet? Met trillende handen pakte ik het glas aan. De zenuwen werden voorlopig nog niet minder. Dat zag ook de styliste, die me op mijn gemak probeerde te stellen. 'Loop maar even mee,' zei ze terwijl ze me voorging. Ik kon alleen maar aan mijn tuin denken die geen tuin was geworden. Ik moest Jan spreken, ik moest hem vertellen dat het niet was gelukt. Wilden ze mij en mijn poes – of liever gezegd geëlektrocuteerde kater – nu nog wel voor dit nummer?

Ik zei het heel voorzichtig tegen de styliste. 'Uhm, ik heb het geprobeerd, maar het is niet gelukt.'

'Wat bedoel je?' vroeg ze. 'Wat heb je geprobeerd?'

'Uhm, mijn haargroei is niet zo aanwezig en al helemaal niet daar.' Ik wees naar beneden.

'Oooow...' zei ze enigszins geschrokken. 'Ik haal Jan wel even.'

Jan kwam aanlopen en ik voelde me net een verlegen puber bij de schooldokter. 'Nou, laat dat dotje eens zien,' zei hij alsof het de normaalste zaak van de wereld was. 'Ja, dat is niets, hè,' zei hij terwijl ik mijn broek openhield.

'Weet je wat we doen? We scheren het in de eerste foto gewoon sensueel af!' 'Ja, te gek,' zei ik. En ik bedacht dat die broek dus straks uitging en ik voor heel Nederland mijn vlassige pubersnor zou afscheren.

Gelukkig kon ik daar niet te lang bij stilstaan, want de visagist nam me mee om me met al zijn kwasten en hulpattributen onder handen te nemen. Een paar uur later zag ik mezelf in de spiegel met dossen nephaar en tien lagen make-up en ik vroeg me af of ik dit niet altijd zou willen. Waarom liep ik er vaak zo 'gewoontjes' bij? Zou ik anders zijn als ik mij dagelijks zo zou kleden? Ik voelde me wel lekker als 'seks-poes', want in het normale leven ben ik toch meer one of the guys. Mijn telefoon ging. Ik zag mijn moeders naam in het schermpje verschijnen en drukte haar weg. Ineens dacht ik aan mijn ouders, mijn zus, mijn vrienden en de rest van de buitenwereld. Hoe zouden zij reageren?

Ik keek in de spiegel en mijn onzekerheid groeide met mijn extensions mee. Ineens voelde ik me heel kwetsbaar en alleen. Mijn moeder had gezegd dat ze het prima vond, maar zou dat nog steeds zo zijn als het nummer in de winkel ligt? En wat zou mijn vader doen? Hij fietst altijd met ieder artikel over mij het hele dorp door. Trots als een pauw met de krant of een magazine waarin ik sta onder zijn arm. Hij showt dat dan pagina voor pagina aan de buren en voorbijgangers. Ons kent ons in hun woonplaats Jipsinghuizen, dus het hele dorp mag het zien.

MANNEN EN

OOK STEEDS MEER
MANNEN ONTDOEN
ZICH VAN HUN
SCHAAMHAAR: →

Bron: K. Bollen 2011

SCHAAMHAAR.

26%

van de mannen
verwijdert niets.

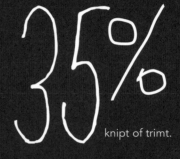

35%

knipt of trimt.

39%

verwijdert gedeeltelijk
of volledig.

Zou hij dat ook gaan doen met mijn *Playboy*? Zou de buurman, die in zijn trekker de Foxy-kalender heeft hangen, ook naar mij gaan kijken? Ik wist het niet en voelde een lichte paniek opkomen. Ademen, dit is lang niet zo erg als je schaamhaar laten beoordelen, zei ik tegen mezelf. Dit is je hoofd dat je gek maakt. Ma had er vast wel over nagedacht voordat ze zei dat ze het prima vond en ik zou gewoon een paar maanden niet naar Groningen gaan. Mijn zus vond het vreselijk, maar ik zou hetzelfde gevoel hebben als zij in haar blote kont zou gaan staan. Het blijft toch je zus. En mijn vriendje... ach, ik wist toch al dat hij niet de liefde van mijn leven was, maar een leuke scharrel. Ik keek naar mijn valse blonde lokken, naar de zwarte pornomake-up. Oké, Nederland zou mij voor één keer zo leren kennen.

Ik trok mijn onderbroek half naar beneden en smeerde wat schuim op het dotje haar. 'Even naar mij kijken, Nicolette. Ja, mooi zo, helemaal perfect, scheren maar.' De fotograaf stond op nog geen meter afstand, maar deed zo normaal dat ik me geen moment afvroeg waar ik mee bezig was. Net als bij een gewone shoot deed ik mijn werk en had ik er zelfs plezier in. Naderhand voelde het lekkerder dan ik van tevoren had kunnen bedenken. Met mijn kale poes liep ik door het huis alsof ik alleen was. Ik had voor het gemak nog een glaasje gedronken en een sigaret gerookt (al wilde ik stoppen) en ineens voelde mijn eva-kostuum niet zo gek meer. Ik was bevrijd van mijn haar en was helemaal over mijn schaamte heen. Jolig liep ik door het huis, ik voelde

HYGIËNISCHER?

Een veelgehoorde reden voor het verwijderen van schaamhaar is dat mensen het frisser, hygiënischer vinden. Maar zolang je je regelmatig wast, blijkt het hebben van schaamhaar niets uit te maken voor de hygiëne. Er kleeft zelfs een voordeel aan het hebben van schaamhaar: de feromonen blijven beter hangen. Feromonen zijn geurstoffen die we niet bewust waarnemen en die vruchtbaarheidssignalen doorgeven, waardoor we door anderen aantrekkelijk gevonden kunnen worden.

ORALE SEKS

VEEL MENSEN GEVEN AAN ORALE SEKS
FIJNER TE VINDEN WANNEER DE ANDER HET
SCHAAMHAAR HEEFT BIJGEWERKT.
VOOR 70% VAN DE MANNEN EN
84% VAN DE VROUWEN IS DIT DAN OOK DE
DOORSLAGGEVENDE REDEN OM DE BEHARING
IN DE SCHAAMSTREEK TE LIJF TE GAAN.
STOPPELTJES EN SCHEERUITSLAG WORDEN ALS
MINDER AANTREKKELIJK GEZIEN.

Bron: K. Bollen 2011

me sexy in mijn witte doorschijnende blouse en verder niets. Daar zijn ze trouwens behoorlijk goed in bij *Playboy*: je sexy laten voelen. 'Wat ben jij prachtig zeg, echt een natural beauty', 'helemaal geweldig', 'die ogen en die lange slanke benen', het regende complimenten van de crew. Geen idee of ze dat echt vonden, maar het voelde in ieder geval heerlijk. Het was een boost voor mijn zelfvertrouwen. 's Ochtends was ik nog een puber, nu een seksgodin. Tenminste, als ze me straks gefotoshopt hadden. Een week later mocht ik de foto's komen bekijken en ik vond ze geweldig. Wat een ervaring; de schaamte voorbij, toffe foto's en ik zou er waarschijnlijk een mooi bedrag aan overhouden. Nu was het wachten op de publicatiedatum een paar weken later.

'IK ZAG MIJZELF WULPS IN DE CAMERA KIJKEND.'

Met het schaamrood op mijn kaken stond ik op Schiphol. Ik moest weg voor werk. Gelukkig. Twaalf dagen in Mexico terwijl mijn *Playboy* net uit was. Ik zou de hype en het afzeiken, de lof en de kritiek allemaal missen. Thank God! Ik liep langs de boekhandel en zag mijzelf liggen. Wulps in de camera kijkend op de cover. Trots was ik, maar ook onzeker. Wat zou men vinden? Ik zou het voorlopig niet weten, dacht ik. Maar terwijl ik mijn koffertje uitpakte in Mexico, hing mijn 'relatie' al aan de telefoon. Albert Verlinde had in *RTL Boulevard* gezegd dat het de slechtst verkochte *Playboy* ooit was. Wat?! Hij lag pas een dag in de winkel, en belangrijker: ik kreeg ook nog eens per blad betaald. Ik kon wel janken. Waarom zei hij dat nou? Vond hij het leuk om een beetje te stoken? Want dit kon nog niemand weten. Pas na drie maanden konden ze vertellen wat het nummer had opgeleverd. Dit zou niemand vergeten, dacht ik. Ik zou altijd het meisje zijn 'dat in de slechtst verkochte *Playboy* aller tijden' stond.

Ik zette mijn telefoon uit. Ik was de komende dagen onbereikbaar. Ik moest een verhaal maken over transgenders die zich prostitueerden omdat ze op een normale manier geen geld kunnen verdienen. Ze worden beschouwd als uitschot. Dat verhaal was belangrijk, mijn eigen verhaal nu niet.

Eenmaal terug in Nederland bleek het nummer heel goed verkocht, kreeg ik leuke reacties en kon ik van het verdiende geld een mooi strandhuis kopen.

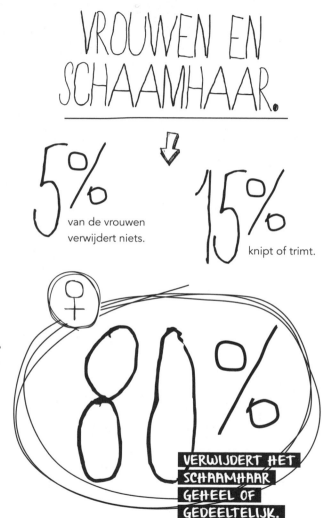

VROUWEN EN SCHAAMHAAR.

5% van de vrouwen verwijdert niets.

15% knipt of trimt.

80% VERWIJDERT HET SCHAAMHAAR GEHEEL OF GEDEELTELIJK.

MODELLEN VOOR
DE MEEST GANGBARE SCHAAMHAARCOUPES:

DRIEHOEK:

Het schaamhaar wordt aan de zijkanten verwijderd, soms ook op de schaamlippen en rond de anus. Vaak wordt het haar wat korter getrimd.

BRAZILIAN:

Slechts een klein streepje schaamhaar op de venusheuvel.

HOLLYWOOD:

Helemaal kaal.

DE VROUW.

VOOR WIE EENS WAT ANDERS WIL:

PUNTJE OP DE I:

Helemaal kaal met een dotje
schaamhaar op de venusheuvel.

SNORRETJE:

Kaal met een trendy
snorretje op de
venusheuvel.

VALENTIJN:

Hartje.

KOKOSMAT:

Puur natuur, ook wel 'afro' genoemd.

BECKHAM:

Hanenkam in het midden.

TIFFANY:

Vierkantje haar.

SOORTEN & MATEN

(4) ⇒

Als ik tijd heb, werk ik graag op de redactie van *Spuiten en Slikken*. De sfeer is geweldig. De een heeft ter inspiratie een dildo op zijn bureau staan en de ander kijkt de hele dag tegen een poster aan van een man in jubelstemming. In de pauze krijg je zo nu en dan een gebruikte slip toegeworpen die door iemand is opgestuurd, en er ligt altijd wel een nieuw gadget. De redactie ziet er af en toe uit als een kleurrijke speeltuin, maar er wordt superprofessioneel gewerkt. Iedere medewerker is een redactionele (seks)tijger, een allesweter op het gebied van seks en drugs.

⬇

Soorten & Maten 04

⇩

Regelmatig krijgen we brieven op de redactie met interessante vragen. Zo ook een van iemand die ontevreden was over haar vagina. Ik las de brief en was erg onder de indruk. Je moest wel durven om hiermee op tv te willen komen. Met haar verhaal wilden we een uitzending maken over het schoonheidsideaal. We hoorden wel vaker dat vrouwen ontevreden waren over hun vagina, poes of – in onze werktermen – hamlap. Sorry voor de term, maar ik vind vulva, kutje, vagina en hut allemaal even kansloos en nu het een werkterm is geworden, ben ik best tevreden met de hamlap. Blij dat ik vegetariër ben, zodat er geen associaties zijn als ik lunch met een broodje beenham. Maar goed, terug naar de brief.

Het meisje en haar hamlapje hadden een probleem. Haar hamlapje was namelijk een ham. En niet een onsje meer, maar eerder een half varken. In tegenstelling tot vrouwen die hun doodnormale poes wilden laten ombouwen tot 'designer vagina', had deze meid er echt last van. Het zat in de weg en ze was superonzeker. En ondanks deze onzekerheid stuurde ze ons toch een mail.

Ik besloot me te verdiepen in de hamlap: hoe ziet deze eruit, welke soorten en maten bestaan er, wat zijn grote schaamlippen en wat kun je eraan doen? Ondertussen probeerde ik een mening te vormen over mijn eigen vagina. Nooit had ik erbij stilgestaan dat je er wat aan kon laten verbouwen. Over het algemeen was ik hartstikke tevreden, kwam ik achter. Ik gaf mijn poes een 8. Toch twijfelde ik ineens over wat een normale vagina is. Want de vagina die je in porno ziet of in reclamespotjes (maar dan bedekt) is een soort vagina die eigenlijk bijna geen

Schaamlipcorrecties

De laatste decennia is er
een toename geweest in
het aantal verzoeken tot
schaamlipverkleiningen. Er zijn
verschillende factoren die hierin een
rol kunnen spelen. Allereerst doordat
cosmetische chirurgie gewoner
geworden is. Maar ook doordat
vrouwen zich bewuster zijn van
hoe hun geslachtsdelen eruitzien
doordat steeds meer vrouwen hun
schaamstreek scheren. Tegelijkertijd
hebben vrouwen vaak geen
realistisch vergelijkingsmateriaal.

vagina is. Er hangt niets naar buiten en er zit nauwelijks iets aan de binnenkant. Het is een gleuf met – in de meeste gevallen – niet één haar erop. Ik vroeg aan mijn vriendinnen of ze blij waren met hun poes en of deze dan op een pornopoes leek. Eerst werd er een beetje omheen gedraaid, want daar had je Nicolette weer met haar openhartige vragen over seks. Maar een paar glazen wijn maakten de tongen los. 'Nee,' zei de ene vriendin, 'ik zou best wat aan de mijne willen laten doen.' De ander zei: 'Ik ben hartstikke blij, ik heb echt een porno-kut.'

Ik vond het schokkend. Zou mijn dochter als ze later via internet op onderzoek uitging, niet een heel verkeerd beeld krijgen van wat 'normaal' is? Al die strakke lijven met siliconenborsten en barbie-vagina's, terwijl het er in het echte leven toch vaak anders uitziet. Ik heb toentertijd zelf mijn beeld van hoe een man en vrouw eruitzagen gevormd aan de hand van de Wehkamp-gids. Om precies te zijn: op de pagina onderbroeken en slips. Mijn dochter krijgt haar eerste seksuele ervaring echter met één druk op de knop. Ongefilterd. En iedereen die wel eens 'vagina' heeft gegoogeld, weet wat er dan tevoorschijn komt. Wat is het toch vreemd dat we zo'n ideaalbeeld hebben van een lul of een kut. Kunnen we niet gewoon tevreden zijn met wat we hebben of krijgen? Doen de maat en hoe het eruitziet er echt toe?

Bij het meten van de binnenste schaamlippen werd bij een groep vrouwen zonder klachten een variatie tussen de 7 mm en 50 mm gemeten.

Als we zangeres Anouk moeten geloven wel. In een televisie-interview vertelde ze dat ze alleen datete met mannen met een groot geslachtsdeel. Sterker nog, ze vraagt van tevoren naar de grootte, want anders hoeft het van haar niet. Met kleine lullen kan ze niets. Van de stam gemeten, zou 21 centimeter voor Anouk pas voldoen. Ik ben een groot fan van de rauwe Anouk, maar ik vond dit best een boute uitspraak. Stel je eens voor als een man op televisie had gezegd: 'Ik val alleen maar op vrouwen met een klein kutje. Ik wil geen hamlap of open-schotwond, maar een lekkere, strakke hut.' Hij zou met fakkels en hooivorken uit Nederland zijn verbannen. Maar nu Anouk het zei, was het cool. Vreemd. Je zou denken dat je liever een trouwe, kleine lul hebt dan een onbetrouwbare genotsknots met een tweede agenda.

GEVOLGEN VOOR SEKS

Het wachten is nog op onderzoeken die gericht zijn op het seksueel welbevinden na een schaamlipcorrectie. Vermoedelijk neemt het zelfvertrouwen toe en daarmee zal het ook gemakkelijker zijn om te genieten van seks. Echter, er wordt ook gesneden in het seksuele orgaan en het is nog afwachten wat daar de gevolgen van zijn. Immers, het clitorale systeem loopt door tot in de schaamlippen.

En een vrouwelijk geslachtsdeel moet toch vooral lekker voelen, hoe het eruitziet maakt toch minder uit? Om daarachter te komen, maakte ik een afspraak met de eigenaresse van de hamlap om haar verhaal te horen. 'Ik vind dat alles aan mijn lichaam klopt, behalve mijn schaamlippen,' zei ze tijdens het gesprek. Hoe erg kon het zijn? Ze zitten opgesloten in je broek en alleen uitverkorenen mogen ernaar kijken en als ze heel leuk zijn eraan voelen. En als diegene je echt leuk vindt, dan zou dat toch geen probleem moeten zijn?

Onze mening over de hamlap bleek te kort door de bocht. Het meisje vertelde dat ze er last van had bij het sporten, niet normaal kon traplopen en al jaren niet meer fietste, want dat deed pijn. En omdat ze onzeker was over wat mannen ervan

ONDER DE DOUCHE

Let op: onder de douche
(in de kleedkamer van de sportschool)
lijkt de penis van een ander langer dan
je eigen penis doordat je
de penis van een ander
van voren ziet en je
eigen penis van boven.
Het bovenaanzicht
verkort optisch
de penis.

vonden, werd haar seksleven er ook niet beter van. Haar hamlap beïnvloedde haar hele leven en ze wilde niets liever dan een operatie ondergaan. 'Kut voor je,' wilde ik zeggen, maar dat leek me niet gepast. Een paar weken later mocht ik met haar mee om de operatie bij te wonen. In het ziekenhuis keek ik naar dat jonge, stoere meisje, dat haar intieme probleem bij ons op tafel had gelegd en nu toch een beetje zenuwachtig was. Ik hoopte zo dat het allemaal goed zou komen. Gek, ik had haar pas één keer eerder ontmoet en mocht nu aanwezig zijn bij haar schaamlipcorrectie. Hoe moest ik me hierop voorbereiden? Ik had erover gedroomd en gepiekerd. Waar zouden ze de restanten laten? Zou zo'n dokter nog wel eens een broodje rosbief kunnen eten?

Ik moest mijn spijkerbroek inwisselen voor een prachtig groen pak en werd naar binnen gebracht. Het meisje werd lokaal verdoofd, waardoor ze alles bewust meemaakte, maar geen pijn had. We kletsten nog wat en voor ik het wist stond ik in de operatiekamer. De arts liet zien waar hij de schaamlippen eraf zou branden. Een andere methode is knippen, maar dat zorgt voor een behoorlijk bloedbad. Zo heeft elke arts zijn voorkeursmethode. Ik stond er met mijn neus op en voelde mijn kaken rood worden van angst. Ik keek zo recht haar hamlap in. En het was inderdaad best een ham. Ze kon applaus geven als ze met haar billen schudde. Ik had geen idee dat een vrouwelijke schaamlip zo immens groot kon groeien. Ineens begreep ik dat sporten zo niet te doen was.

Verschillende genitale ingrepen:

Labiumplastiek
Verkleinen van of symmetrisch maken van de binnenste schaamlippen.

Liposuctie
Verkleinen van de venusheuvel en/of buitenste schaamlippen.

Labiumaugmentation

Vergroten van de buitenste schaamlippen d.m.v. vetinjecties.

Vaginaplastiek of rejuvenation
Vernauwen van de vagina-ingang.

Clitoralhood-verkleining
Het huidkapje over de clitoris wordt iets ingenomen.

Hymenoplastiek

Maagdenvlieshersteloperatie.

MANNENMATEN

LENGTE

Een penis in slappe toestand is gemiddeld tussen de

8,9 EN **10,7 CM**

Een penis in stijve toestand meet

12,4 TOT **16,7 CM**

Dit is gemeten aan de bovenzijde van de penis, van schaambeen tot het topje van de eikel. Maar er is nogal wat variatie: in erectie werden lengtes variërend tussen de 6,5 en 24,4 cm gevonden.

DIKTE

De gemiddelde omtrek van de penis in slappe toestand:

8,7 CM

In stijve toestand tussen de

10,8 EN **13,6 CM**

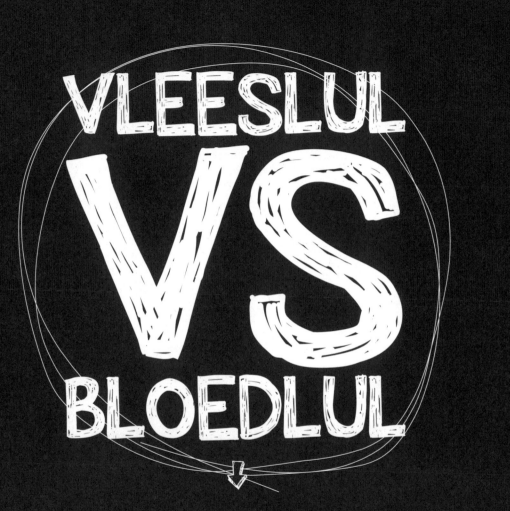

Een penis die in slappe toestand al vrij groot is, zal minder groeien wanneer hij stijf wordt. Dit wordt ook wel heel plastisch een vleeslul genoemd. Terwijl een penis die in slappe toestand kleiner is juist meer toeneemt in grootte wanneer hij in erectie is. Dit is de bloedlul.

Wat je ideaal noemt

Voor de meeste vrouwen geldt dat ze zelden of nooit uitgebreid de vulva van andere vrouwen te zien krijgen. Lingeriereclames en pornografische afbeeldingen voeren vaak de boventoon in het beeld dat vrouwen hebben van hoe de vagina eruit hoort te zien. Maar bij lingeriereclames zijn nooit frommeltjes in het broekje te zien. Die zijn vakkundig weggepoetst. En ook bij porno zien we vrijwel nooit prominente schaamlippen, omdat pornoactrices geselecteerd worden op het niet of nauwelijks aanwezig zijn van binnenste schaamlippen.

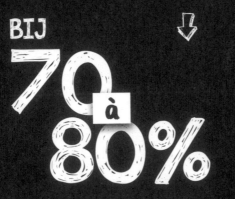

BIJ **70 à 80%** VAN DE VROUWEN STEKEN DE BINNENSTE SCHAAMLIPPEN IETS UIT BUITEN DE BUITENSTE SCHAAMLIPPEN.

IN OEGANDA HEERST HET IDEE HOE GROTER DE BINNENSTE SCHAAMLIPPEN, HOE BETER. VROUWEN REKKEN HUN EIGEN EN ELKAARS SCHAAMLIPPEN OP TER VERGROTING VAN HUN EIGEN SEKSUELE PLEZIER, EN DAT VAN HUN PARTNER.

De dokter toverde een gasbrander tevoorschijn en begon de ham van het meisje af te schroeien. Even werd ik onpasselijk. De man deed dit dagelijks en werd er waarschijnlijk niet warm of koud meer van. En ook de assistentes keken alsof het de normaalste zaak van de wereld was. Maar de geur was zo intens dat ik bijna moest kotsen. Het rook als een verbrande makreel op een Indiase vismarkt. Wat ik nog erger vond, is dat het meisje bij bewustzijn was en dus ook haar huid rook. Mijn hemel, wat kunnen wij vrouwen meuren als onze poes letterlijk in vuur en vlam staat. Ik kon voorlopig geen vis eten en seks zou ik ook even van de menukaart schrappen. Ik moest naar buiten, de frisse lucht in.

Op de binnenplaats wachtte ik tot de assistente mij kwam vertellen dat het gebeurd was. Ik mocht een blik werpen in de operatiekamer, waar twee trieste stukjes huid mij zielig aankeken. Op een van de hamlappen kon ik nog een verdwaalde zwarte schaamhaar ontwaren, maar voor de rest leek het in niets meer op een schaamlip. Het meisje was gelukkiger dan ooit. En ik ook, want wat was ik blij dat het erop zat. De hamlap lag bij het medisch vuil en ik had een ervaring om graag te vergeten.

Net na de operatie was de vagina van het meisje enorm opgezwollen en dat bleef enkele weken voortduren. Maar zes weken na de operatie vertelde ze me dat ze weer fietst, sport, zwemt in bikini en dat ze zich supergoed voelt. Wat kan de natuur soms wreed zijn en wat fijn dat in zo'n geval een operatie uitkomst biedt. Maar een perfecte poes? Die bestaat volgens mij niet. Wij moeten het gewoon doen met onze huis-tuin-en-keukenpoes.

'Een vagina moet toch vooral lekker voelen, het maakt toch niet uit hoe het eruitziet?'

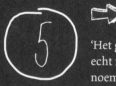

5

'Het gebeurde in Parijs, de stad van de romantiek. Alleen
echt romantisch was het niet. Ik zou het eerder heet
noemen, lustig, als dat een woord zou zijn.'

ZELF DOEN!

Heb je jezelf wel eens totaal blootgegeven aan een praktisch vreemde? En dan bedoel ik niet alleen dat je je uitkleedt en iemand elk gedeelte van je naakte lijf laat aanschouwen. Maar ook jezelf laat zien van een kant die je nooit iemand liet zien?

Vanaf het moment dat ik hem zag, wilde ik hem al. Zoenen, uitkleden, bezitten, me als een oversekste puber op hem storten. Hij had een ander plan. Het gebeurde in Parijs, de stad van de romantiek. Alleen echt romantisch was het niet. Ik zou het eerder heet noemen, lustig, als dat een woord zou zijn.

Ik was net twintig en werkte als model voor een Nederlands kledingmerk. Ik was geen Doutzen Kroes, maar verdiende aardig en genoot van de vrijheid, het reizen en de nieuwe wereld van glitter and glamour, waarin ik van de ene in de andere verbazing viel. Overdag bezocht ik alle bezienswaardigheden van de stad, zwierf door de oude binnenwijken en dronk koffie op een van de gezellige terrassen om de hoek van het appartement waar ik sinds een paar maanden woonde. Ik keek naar de elegante Franse dames die me – zonder me een blik waardig te gunnen – passeerden in strakke kokerrokjes en hooggesloten zijden blouses. In het felle zonlicht met gestifte lippen leken ze meer op modellen dan ik: een meisje in spijkerbroek en gympen, met het haar in een staart en een slungelig lang lichaam. Maar 's avonds als de zon onderging en de stad in de chique wijken van Montmartre en Opéra pas echt leek te ontwaken, werd ik in de mooiste jurken gehesen en in de hoogste pumps gestoken. Mijn haar ging in de gekste creaties de lucht in en stylistes en visagisten zorgden ervoor dat ik mij in de felle catwalklichten een godin waande.

Op een van die avonden liep ik met andere modellen een modeshow op een groot evenement. Het merk presenteerde de nieuwe zomercollectie en er waren ontzettend veel genodigden. In de coulissen speculeerden de andere modellen al wie er op de eerste rij zouden zitten. Een mode-icoon die van jou onder de indruk was, zou wel eens een grote stap in je carrière kunnen betekenen. Een vetrolletje, zenuwachtige gelaatstrekken of erger: een misstap zou het einde kunnen zijn.

Ik mocht als derde op. In een lange avondjurk met diep decolleté voelde ik me heel sexy terwijl ik met zelfverzekerde passen richting het einde van de catwalk liep. Strak en uitdagend keek ik naar de VIP's op de eerste rij. Daar zat hij. Ik zag hem meteen. Stoppelbaardje, atletisch lichaam, nonchalante look en groengrijze ogen. Hij had maar een paar seconden nodig. Om met zijn ogen een vlammend vuur in mij wakker te maken. Het was zo sterk, dat ik dacht dat iedereen het zag. Iedere keer als ik een ronde op de catwalk liep, dwaalde mijn blik af naar de eerste rij, waar hij tussen de dik opgemaakte rondborstige haute couture-dames zat.

Ik was niet de enige die zijn blik niet kon weerstaan. Ook andere meisjes zag ik naar hem kijken, giechelend achter de coulissen. Ik hoorde hen fluisteren dat hij niet in het modevak zat, maar een succesvolle makelaar was. Zijn spottende, bijna arrogante blik verried dat hij deze hele vertoning maar een poppenkast vond. Dat maakte hem nog aantrekkelijker. Ik geloof niet in liefde op het eerste gezicht, seks

CURSUSJE MASTURBEREN

Tijdens de seksuele revolutie kon je als vrouw terecht bij über-feministe Betty Dodson voor een masturbatiecursus. Daar kwamen groepjes vrouwen bijeen om samen meer bekend te worden met hun eigen lichaam. Ook tegenwoordig kun je nog een cursus masturberen volgen, bijvoorbeeld bij de Love Academy of Christine le Duc. Of je gaat zelf thuis op onderzoek uit. Pak er eens een spiegeltje bij om precies uit te vinden wat waar zit. Met name voor vrouwen is dit een must omdat de private parts zo verstopt zitten dat we het zonder spiegel niet eens kunnen zien.

op het eerste gezicht daarentegen heb ik vaker gevoeld, maar nooit zo intens als die avond. Driehonderd genodigden in de ruimte en ik keek alleen maar naar hem en hij naar mij.

Ik werd zo in bezit genomen door de strakke blikken die we uitwisselden dat ik vergat dat er camera's waren: fotografen die enkele momenten hadden om de mode van het moment vast te leggen. Het enige wat ik kon denken, was: als ik je straks tegenkom, dan stel ik mijzelf niet eens aan je voor. Ik kleed je uit op een Frans toilet en verwen je totdat je het uitschreeuwt van genot. Klik, klik, klik, tientallen camera's flitsten in mijn gezicht. O ja, shit, dit is een modeshow.

Achter de coulissen raapte ik mijzelf bij elkaar, terwijl ik in mijn zwarte jurkje schoot. 'Ik kan hem nooit krijgen. Ik kan hem wellicht niet eens ontmoeten,' zei ik tegen mezelf. Want een 'belangrijke' man is meestal: 1. omringd met de knapste dames en 2. omringd met personeel. Ik deed mijn pumps aan, want ik wilde nog even kijken op het feest, maar haalde mijn make-up eraf. Zonder mascara, oogschaduw en blush kon je aan mijn gezicht nog duidelijk de schade van het feesten van de afgelopen dagen aflezen. De grote zaal was aangekleed met draperieën, immense kroonluchters en magnumflessen champagne. Tussen de honderden jurken en strakke pakken kon ik hem niet vinden. Ik pakte een glas water (in champagne zitten te veel calorieën) van een dienblad en keek nog een keer zo onopvallend mogelijk rond. Nergens te bekennen. Nauwelijks teleurgesteld liep ik naar de andere modellen.

OPHEF

Wellicht herinner je je de scène in de film *Zomerhitte* nog waarin Kathleen (Sophie Hilbrand) het ten overstaan van de fotograaf (haar huidige man Waldemar Torenstra) met zichzelf deed. Deze scène bracht enige commotie teweeg. Niet zozeer om wat er te zien was, als wel om wat er niet te zien was.

RELIGIE

IN VERSCHILLENDE RELIGIES EN CULTUREN WORDT MASTURBATIE AFGEKEURD. DIE AFKEURING KAN NOG GENERATIES LANG DOOR WERKEN, OOK WANNEER JE ZELF NIET RELIGIEUS BENT.

Mijn fantasie was een mooi sprookje. Hij kon iedereen krijgen en ik was niet meer dan een wereldvreemde twintiger met lang sluik haar en een bleek gezicht. 'Wow, great dress,' probeerde ik een gesprek aan te knopen met een van de Russische modellen. Tevergeefs, want ze keek me niet-begrijpend aan. Dan nog maar een glas water. Fuck, hoe lang hield ik het hier nog vol?

Toen zag ik hem. In een hoek naast de grote houten trap. Het was alsof mijn benen van elastiek waren geworden. Mijn onweerstaanbare hunk stond te praten met fotograaf Jean, die ik al jaren kende. Ze keken mijn kant uit en ik zwaaide ongemakkelijk. O god, ze kwamen naar me toe. Ik wist niet wat ik met mezelf aan moest. Maar voordat ik een houding had gevonden, stonden ze al voor mijn neus. 'Ik wil je graag voorstellen aan Max', zei Jean. Ik voelde zijn hand in de mijne en er ging een elektrische schok door me heen. 'Champagne jullie?' vroeg Jean terwijl hij bij ons wegliep.

'KOM JE EEN KEER NAAR LOS ANGELES?'

Kort keek de Amerikaan mij aan. 'Dus jij bent bevriend met Jean? Hoe lang ben je in Parijs?' Zijn stem zorgde voor een rilling langs mijn rug naar mijn billen. 'Morgen ga ik terug naar Nederland,' antwoordde ik zo casual mogelijk. 'Dat is jammer,' zei hij. 'Kom je een keer naar LA?' Ik stond aan de grond genageld. 'Oké,' hoorde ik mezelf zeggen. Op een verfrommelde VIP-kaart schreef hij zijn nummer. Ik kon het nauwelijks geloven en stond te wankelen op mijn benen. Snel stak ik het kaartje in mijn zwarte jurkje voordat Jean terugkwam met de champagne. Na

SOLOSEKS

Soloseks; (bijna) iedereen doet het maar (bijna) niemand praat erover. Is dat wel echt zo? Want 26% van de mensen geeft aan nooit te masturberen. Het grootste gedeelte van deze groep is vrouw. De overige 74% masturbeert met een frequentie van hooguit eens per maand tot minstens een paar keer per week. De mannen in deze groep geven aan beduidend vaker te masturberen dan de vrouwen en dan vooral de jongens in de groep van 15 tot en met 24 jaar.

Bron: Seksuele Gezondheid in Nederland 2011

> 'ALS IK HET NORMAAL MET MEZELF DEED, WAS DAAR NIEMAND BIJ. ONGEMAKKELIJK KNEEP IK IN MIJN TEPELS.'

een ongemakkelijk gesprek over koetjes en kalfjes excuseerde Max zich dat hij nog een andere afspraak had. Met een kus op mijn hand nam hij afscheid en liet me verdwaasd achter.

Anderhalve week later zat ik in het vliegtuig. Max en ik hadden na onze eerste ontmoeting dagelijks met elkaar ge-sms't. Telkens vroeg hij wanneer ik hem kwam opzoeken. En uiteindelijk had ik de stoute schoenen aangetrokken. Voor het eerst in mijn leven zat ik in een vliegtuig. Daarvoor reed ik regelmatig in de Thalys van en naar Parijs, maar daar hield het wel een beetje op. Ik had nog nooit een palmboom gezien, behalve in het subtropische zwemparadijs van Center Parcs. Nu had ik in mijn eentje een open ticket naar LA geboekt, geen idee hoe lang of hoe kort ik zou blijven. En de man die ik nauwelijks kende, maar zo woest aantrekkelijk vond, zou me op komen halen van het vliegveld. Ik kreeg er nu al klamme handen van. Maar op het vliegveld van LA was geen spoor van Max te bekennen. Nergens die sexy lach, die gespierde bruin getinte borst onder een dun wit linnen overhemd, geen welkomstkus in zijn armen, niets van wat ik me had voorgesteld. Wel een man van middelbare leeftijd met een pot gel in zijn haar, een gladgeschoren gezicht, een strak T-shirt en een bord met mijn naam erop. Ik dacht dat taxichauffeurs zo elke alleen reizende passagier probeerden te verleiden in hun taxi

te stappen (ja, ik ben blond en had niet veel gereisd). Ik pakte mijn mobieltje en belde hem. Geen gehoor. Fuck. Was ik voor niets helemaal hierheen gevlogen, wat ben ik een domme koe. Stond ik dan, ticket gekocht van 1000 gulden toentertijd en geen verblijf. Door de grote ramen van de aankomsthal zag ik de palmbomen tegen een strakblauwe achtergrond wuiven, net als op de posters van de IKEA. Nou ja, dan maar zelf op pad. Ik liep naar de taxichauffeur, aan wie alles te strak was, en zei stamelend: 'Ik dacht dat ik zou worden opgehaald door een vriend, alleen hij is

ONTDEKKEN

Masturbatie is de ultieme manier om te leren wat je lekker vindt. Wie moeite heeft met het bereiken van een orgasme kan dit het best zelf ontdekken. Je kunt het immers precies doen zoals jij het het lekkerst vindt en je kunt al je aandacht op jezelf richten.

niet gekomen, dus ik ga toch graag in op uw service.' 'O, jij bent Nicolette. Ik wacht op jou. Max heeft me gestuurd.' Oké, gênant. De man had mij dus net drie kwartier zien twijfelen. Ik hoopte maar dat hij het niet aan Max zou vertellen en liep achter hem aan richting auto. Mijn kleding plakte tegen mijn lichaam aan en ik rook ook niet echt lekker meer. Ik had behoorlijk gezweet in het vliegtuig en van de zenuwen had ik geen oog dicht gedaan. Ik leek wel zo'n 'echt meisje in de jungle' na twee weken mieren eten. Wat ik nodig had, was een douche en toilet. En snel. Ik moest al vreselijk nodig in het vliegtuig, maar toen stond de kist net aan de grond. Geen idee of dat dan nog mocht. In de Thalys namelijk niet.

Twintig minuten later reed de chauffeur de oprijlaan van een gigantische villa op. Ik voelde me steeds kleiner worden, wat deed ik hier eigenlijk? Geen idee hoe lang ik zou blijven en of mijn liefde, of eigenlijk lust, nog steeds zo sterk was als toen. Vanaf het huis in de verte zag ik twee dobermanns op ons afstormen. Achteraf bleken het de liefste honden ter wereld, maar in eerste instantie vond ik ze doodeng. De voordeur sloeg open en ik zag hem: in een tanktop en een oude spijkerbroek. De simpelste outfit ooit, die ik nog nooit zo aantrekkelijk had gevonden als bij hem. Hij was nog breder dan ik 'm herinnerde en door zijn shirt kon ik de aftekening van zijn sixpack zien. Zijn door de zon gebleekte haren waren kort en wild en de twinkeling in zijn ogen verried dat hij het leuk vond dat ik er was. 'Kom binnen. Wow, wat goed dat je er bent, jij hebt lef! Ik wist al dat je anders was toen ik je voor het eerst zag.' Ik bloosde.

'Mag ik douchen?' vroeg ik. Mijn stem galmde in het open vertrek. Bij het rondkijken zag ik vooral heel veel marmer.

'Tuurlijk, wil je bij mij of in het gastencomplex slapen?' Ik werd rood. Het gastencomplex? Ik kom uit een Vinex-rijtjeshuis in Almere. 'Uhm, bij jou.'

'Oké,' zei hij nonchalant en liep samen met de dobermanns voor me uit. Het was dat ik me vies voelde en nog steeds naar de wc moest, anders had ik hem zeker vastgepakt. Mijn huid tegen de zijne aan gedrukt, zijn adem in mijn nek... 'Hier kan je douchen. Ik laat je je koffer uitpakken en in de kasten hangen. Tot zo.' Ik knikte en wist niet hoe snel ik de deur dicht moest doen om de pot op te zoeken.

'IK WIST NIET DAT JE TOILETPAPIER HIER BETER NIET KON DOORSPOELEN.'

Ik zette de douche aan, zodat hij me niet naar het toilet hoorde gaan. Ik ging zitten en ontspande. Nooit eerder vloog ik ergens naartoe. Mijn vriendjes leerde ik kennen op het schoolplein. En nu zat ik in LA met een vreemde gast en zijn twee gecoupeerde honden in een kast van een huis. De adrenaline stroomde door mijn lichaam, terwijl Robbie Williams door de ruimte knalde. Ik wist niet dat ze badkamers hadden met ingebouwde stereo-installaties. Ook wist ik niet dat je toiletpapier beter niet door kan spoelen in LA. Bij het doortrekken zag ik mijn drol in eerste instantie gewoon verdwijnen. Maar zodra ik een teen onder de douche stak om te voelen of het water op de juiste temperatuur was, begon het toilet te sputteren. Mijn hele zaak kwam omhoog en dat niet alleen, het water begon uit de

TABO

Deze uitkomsten zijn misschien niet zo verwonderlijk, maar is juist dát nie
erg verwonderlijk? Waarom vinden wij het vanzelfsprekend dat mannen v
masturberen dan vrouwen? Of kunnen we hieruit opmaken dat er anno 2
nog steeds een taboe rust op masturbatie en met name bij vrouwen? De
blijft natuurlijk of ze niet masturberen of dat ze zéggen het niet te doen.
gevallen kun je spreken van een taboe dat rust op soloseks.

LEREN OVER MASTURBEREN?
VROUWEN KUNNEN HUN LOL OP MET
DE HAPPYPLAYTIME APP, ZIE
WWW.HAPPYPLAYTIME.COM

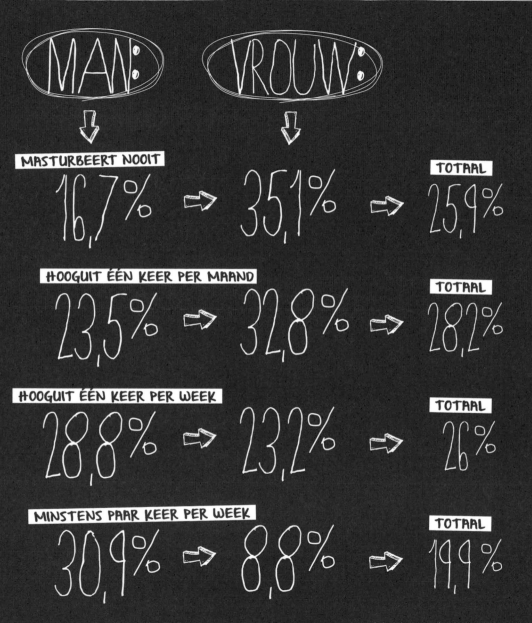

MAN: VROUW:

MASTURBEERT NOOIT
16,7% ➡ 35,1% ➡ TOTAAL 25,9%

HOOGUIT ÉÉN KEER PER MAAND
23,5% ➡ 32,8% ➡ TOTAAL 28,2%

HOOGUIT ÉÉN KEER PER WEEK
28,8% ➡ 23,2% ➡ TOTAAL 26%

MINSTENS PAAR KEER PER WEEK
30,9% ➡ 8,8% ➡ TOTAAL 19,9%

Bron: Seksuele Gezondheid in Nederland 2011

pot te stromen. Shit – letterlijk – wat nu?! Zou ik hem vragen... nee, dat was echt
het allerlaatste. Ik zag een raampje rechts van de wasbak en overwoog de drol naar
buiten te smijten. Ik keek door het raampje en zag een veranda aangrenzend aan
het zwembad. Dat was geen optie. De badkamervloer was nu volledig nat en dat
niet alleen: mijn drol spoelde aan als een bruine walvis op het droge. Ik besloot
de walvis in te pakken in pleepapier. Dan toch mijn Max maar vertellen over het
ongeluk. Ik deed een badhanddoek om en stak mijn hoofd om de deur. Ik kon altijd
nog op zoek gaan naar een ontstopper. Toen zag ik een dame in een pakje dat ik
ken uit films. Zwart met wit en een doekje in het haar. 'What's wrong miss?' Thank
God! Na een gevecht met het toilet en de walvis, waarbij
de 'maid' adequaat met ontstopper en handdoeken te werk ging, kon ik
eindelijk douchen.

In een veel te grote witte badjas liep ik even later over de gang. Bij elke stap zakten
mijn tenen in het zachte hoogpolig tapijt. Aan het einde van de overloop hoorde
ik muziek. Ik voelde de druppels van mijn natte haren over mijn naakte lichaam
rollen en mijn tepels hard maken. Ik had alle voorbereidingen getroffen en was
geschoren en geknipt, gewassen van mijn tenen tot mijn oren. Want misschien
gingen we wel vrijen. Ik had anderhalve week lang iedere nacht gedroomd over seks
met deze man. Nu kon ik niet langer wachten.

Het enorme witte bed zag er erg aanlokkelijk uit na zo'n lange reis. Op de
achtergrond klonk een zwoel jazzmuziekje, er brandden kaarsen en er stond
champagne klaar. Alles leek perfect, maar geen teken van Max. Ik deed een
licht aan om iets meer te zien en schrok me kapot. In een grote donkere leren
chesterfield zat hij. Het leek verdomme wel een film waar ik in was beland. Ik
hoopte een met een happy end. Ik had mijn moeder amper verteld wat ik hier ging
doen. En wie weet was hij wel een gestoorde gek en werd ik hier vermoord.

'Ga maar liggen,' zei hij. Ik deed wat hij zei, alsof ik zelf niets in te brengen had.

'Lig je lekker?'
'Ja.'
'Ben je opgewonden?'
'Ja.'
'Ik vind jou heel leuk, Nicolette.'
'Ik jou.'

'Ik wil jou beter leren kennen, schoonheid.'
'Ik jou, ik wil seks met je.' Ik schrok van mijn directheid.
'Ik met jou, maar ik wil weten hoe het moet. Ik wil weten hoe ik jou bevredig en weet je hoe ik daarachter kom?'
Mijn hoofd gonsde van de jetlag en de opwinding.
'Nee.' Ik kon er niet meer bij met mijn hoofd. Waarom moest dit zo lang duren? De meeste mannen hadden me nu allang vastgepakt en hard genomen. Kus me nou maar, dacht ik. Mijn lichaam hunkerde naar zijn aanraking.
'Doe het met jezelf. Laat mij zien hoe je dat doet en ik leer daarvan. Als ik het dan met jou doe, dan zal ik hetzelfde doen.'
Ik twijfelde. Wat was dit?! Ik was helemaal hier gekomen omdat mijn hele lichaam schreeuwde om met hem te zoenen en te vrijen. Misschien was dit het voorspel, dacht ik en deed mijn badjas uit. Wat gênant vond ik dit. Als ik het normaal met mezelf deed, was daar niemand bij. Ongemakkelijk kneep ik in mijn tepels en keek ik hem aan.
'Nee, niet doen,' zei hij. 'Doe wat jij zelf lekker vindt, doe het niet voor mij.'
Ik lachte verlegen. Deze man had mij door. Ik legde mijn hoofd op het kussen en gaf me over aan al die dromen van de afgelopen weken. Die verlangens die allemaal draaiden om deze man, met dat goddelijke lijf en die spottende blik. Ik liet me gaan en bracht mijn handen naar beneden zoals ik dat thuis ook zou doen... als ik alleen thuis onder mijn dekbed lig. Niet te hard, niet te zacht, in kleine rondjes. Ik had verwacht of gedacht dat hij zichzelf bij dit aangezicht zou bevredigen, maar hij keek. Aandachtig alsof hij naar een kunstwerk keek. Ik zal nooit meer die blik vergeten, geobsedeerd en liefdevol tegelijk. Terwijl ik het met mezelf deed en hij

keek, was ik verlost van de schaamte. Ik genoot en keek soms naar hem terwijl ik volledig in mijn eigen wereld zat. Heerlijk om te spelen met die spanning en te voelen hoe zijn ogen over mijn lichaam gleden. Ik bewoog mijn heupen alsof hij in me zat en terwijl ik hem aankeek, kwam ik tot een hoogtepunt. Dit had ik even nodig, deze ontlading.

SPEELTJES

Voor wie last krijgt van lamme handen, of gewoon eens wat anders wil, zijn er allerlei speeltjes op de markt. Het aanbod reikt veel verder dan de namaakpenis en ook de Tarzan is achterhaald. Zo is er een vibrator in de vorm van een appel (niet om in te brengen) of een speeltje met tien ronddraaiende tongetjes. Maar ook een raket, een trillend vijgenblad of de We-vibe, die je trouwens ook tijdens

het seksen kunt gebruiken. Ook voor mannen kan een speeltje zorgen voor extra plezier. Als je een vibrator tegen de penis houdt of vlak onder de ballen, neemt de opwinding gegarandeerd toe.

Ik keek hem lachend aan en hij kwam naast mij liggen. Hij knuffelde en kuste me teder op mijn wangen. Ik voelde me aanbeden door deze man. En dat terwijl ik pas een uur in zijn bed lag. Met onze lichamen verstrengeld en mijn hoofd in het holletje tussen zijn arm en borst vielen we in slaap.

JONGEREN

BIJ JONGEREN HEEFT EEN GROTER PERCENTAGE JONGENS DAN MEISJES WEL EENS GEMASTURBEERD. ONDER 15- TOT EN MET 17-JARIGE JONGENS HEEFT BIJVOORBEELD 85 PROCENT WEL EENS GEMASTURBEERD, TEGENOVER 44 PROCENT ONDER MEISJES VAN DEZE LEEFTIJD.

Bron: Seks onder je 25e.

Op en neer

⑥

De ochtend na de vreemde single-seks-sessie werd ik wakker met de geur van warme broodjes. Holy shit, wat was er gebeurd? Ik had het gisteren met mijzelf gedaan voor een onbekende in een vreemd huis, in een vreemd land. Wat een avontuur. Een brede glimlach verscheen rond mijn lippen. Ik keek rond en zag mijn witte badjas op de grond liggen. Ik schoot 'm aan en wilde de kamer uit lopen. Te laat. De deur ging open en daar stond mijn hunk.

AANDUWEN, AFTOPPEN, BATSEN, BONKEN, DAMMEN, DEKKEN, KETSEN, KEZEN, NAAIEN, PALEN, PRIKKEN, POMPEN, HAAR ROZENPERKJE WIEDEN, RAMMEN, RAMPETAMPEN, STOTEN, VAN BIL GAAN, VOGELEN, WIPPEN...

Op en neer 06

Het dienblad vol fruit en lekkere broodjes zette hij op het tafeltje aan het voeteneinde. Hij pakte mijn hoofd vast en bekeek mijn gezicht. Ik voelde me knap in zijn omgeving. Hij bestudeerde alles. Zijn vingertoppen gleden over mijn slapen, mijn wenkbrauwen, hij streelde mijn wangen en kuste mijn voorhoofd. Met zijn duim aaide hij mijn lippen. Plagerig probeerde ik hem te bijten. Dan eindelijk zijn tong in mijn mond, mijn lichaam reageerde als droog stro op een lucifer. Ineens greep hij me hard bij mijn heupen, smeet me op het bed en begon uit te oefenen wat hij gister allemaal geleerd had. Hij kuste en likte, hij streelde en wreef, hij was sensueel en hard tegelijk en mijn lichaam bewoog onder zijn aanrakingen. Ik verloor de controle en hij nam me mee van hoogtepunt naar hoogtepunt. Na dit liefdesspel legde hij me in de grote kussens van het witte bed. 'Breakfast?' vroeg hij met een lach, terwijl hij een blauwe druif voor mijn neus hield. Ik pakte hem met mijn mond, draaide me boven op hem en voerde hem het druifje uit mijn mond in zijn mond. We vrijden, sliepen en vrijden, dagenlang bestond ons leven uit wilde seks en gepassioneerde vrijpartijen door het hele huis. Ik kreeg nooit een normale tour door het huis, maar ik deed het wel in alle vertrekken van het huis.

Na een week begon ik langzaam te beseffen dat de wereld iets groter was dan ons bed, de badkamervloer en het washok. Wat ging ik doen? We stonden in de keuken, volledig uitgeput en bevredigd. Was ik verliefd? Nee, niet per se. Max moest werken en ik mocht blijven, maar wilde ik dat? Mijn carrière voor *Elite* ging ontzettend goed en ik wilde eigenlijk gewoon weer aan de slag. Ik had geen zin om zijn neukpoes te zijn terwijl hij carrière maakte. En dat ik dan uiteindelijk ingeruild zou worden voor een tien jaar jonger model.
'Ik ga naar huis, Max.'
'Oké.'
Nee, denk ik, niet oké, zeg dat ik moet blijven!

Max zag dat ik twijfelde en wat deden wij bij twijfel: we deden het. We deden het op het aanrecht en op de keukenvloer, we deden het tegen de kastjes en hij wierp me tegen het glas van de grote pui die toegang gaf tot het zwembad. We waren zo fanatiek dat mijn borsten een afdruk nalieten op het glas. De tuinman reed voorbij op zijn grasmaaier en zelfs dat temperde me niet. Ik zwaaide uit beleefdheid, alsof er niets aan de hand was. Zoals ik hem altijd gedag zwaaide met mijn hand omhoog en een vriendelijk knikje. Tja, wat moet je anders in zo'n situatie? De man zwaaide, knikte terug en reed bijna tegen een van de pilaren van de loungebar. Maar niets kon ons afleiden. We deden het zo hard, het was alsof al onze frustratie in deze vrijpartij zat.

'Je gaat niet, hoor,' zei hij terwijl hij zijn zaakje afveegde aan de theedoek en deze weer op het haakje hing.
'Wil je blijven?'

Ik ben een half jaar gebleven, daarna is onze relatie stukgegaan onder dezelfde omstandigheden als hoe het ooit begon. Vol passie hebben we ruzie gemaakt en vol vuur afscheid genomen. Jaren erna heb ik het nog met Max gedaan, uit liefde en uit haat. Omdat ik hem niet uit mijn leven kon zetten en omdat ik wilde dat hij mij miste. Hij kwam af en toe naar Nederland.
Ik loog dan tegen mijn huidige liefdes en sprak met hem af. Met Max voelde seks niet als vreemdgaan. Vrijen met hem voelde als wraak, als genot en als afscheid. Ik heb hem nog één keer in de States opgezocht. Daar gingen we

De eerste keer

Met 17,1 jaar heeft de helft van de jongeren wel eens geslachtsgemeenschap en/of orale seks gehad. Een cijfer dat over de afgelopen zes jaar nauwelijks is veranderd. Als we het hebben over de eerste keer, gaat dat meestal over de eerste keer neuken. Maar als je wel van alles met elkaar hebt uitgespookt zonder gemeenschap, heb je dan geen seks met elkaar gehad? Als je het Bill Clinton vraagt niet. De oud-president zei nadat stagiaire Monica Lewinsky hem oraal bevredigd had op de nationale tv: 'I did not have a sexual relation with that woman.' De Amerikaanse bevolking dacht daar toch anders over.

Neuken kan onderdeel zijn van het seksuele spel maar 70 tot 80% van de vrouwen komt niet klaar van neuken alleen. Voor de meeste vrouwen geldt dat extra stimulatie van de clitoris nodig is om tot een hoogtepunt te komen.

'70 TOT 80% VAN DE VROUWEN KOMT NIET KLAAR VAN NEUKEN ALLEEN.'

De gemiddelde man doet er 5,4 minuten over om tot een hoogtepunt te komen.

Bron: Waldinger, M.D. e.a. 2005.

Leuke standjes

⇓ ⇓ ⇓

Doe maar normaal
(missionarishouding)

Lekker lui
(lepeltje-lepeltje)

Ware work-out
(staand)

Porno
(op z'n hondjes)

Intiem
(amazone)

Experimenteel
(zittend)

weer los. We reden in een auto naar Vegas, dineerden in het duurste restaurant, dansten tot de zon opkwam en seksten non-stop. We haalde het slechtste in elkaar naar boven en ons leven bestond uit drank, gokken en seksen. Maar ik kon hem niet vertrouwen. Als ik in slaap was gevallen, ging hij het nachtleven van Vegas in. Hij stond erom bekend van vrouwen te houden en ik weet tot op de dag van vandaag niet of hij op die momenten een biertje dronk, gokte of hoeren bezocht.

DUBBELE MORAAL

Voor mannen gelden vaak andere regels dan voor vrouwen waar het seks betreft. Bij mannen wordt het eerder als stoer gezien wanneer zij seks puur uit lust hebben, terwijl het bij vrouwen soms sletterig wordt gevonden. Maar sinds *Sex and the City* eind jaren negentig lijkt het meer geaccepteerd voor vrouwen dat zij ook seks kunnen hebben puur uit lust.

Vijf jaar geleden vertelde hij me dat hij een ander was tegengekomen. Een serveerster uit Hollywood. Nu is hij getrouwd en heeft kinderen, maar belt af en toe nog steeds. Ik zal hem nooit meer fysiek toelaten in mijn leven. Wat ik beleefde met hem was een sprookje, met niet zo'n happy end.

Na een week begon ik langzaam te beseffen dat de wereld iets groter was dan ons bed, de badkamervloer en het washok.

Actief

Het grootste deel van de Nederlanders is seksueel actief: 80% van de mannen en
75% van de vrouwen van 15 tot 71 jaar had seks in het afgelopen half jaar. De meeste
Nederlanders kunnen het aantal sekspartners dat zij ooit hebben gehad op één
hand tellen: 48,5 % van de mannen en 62,2 % van de vrouwen hadden tussen de 1 en
5 sekspartners ooit. Er zijn significant meer mannen dan vrouwen die het aantal
sekspartners niet meer op twee handen kunnen tellen:

AANTAL SEKSPARTNERS OOIT:		MAN	VROUW	TOTAAL
0		8,5 %	7,4 %	7,9 %
1 of 2		24,1 %	34,1 %	29,1%
3 tot 5		24,4 %	28,1 %	26,2%
6 tot 10		18,1 %	18,3 %	18,2%
11 tot 20		12,5 %	7,6 %	10,1%
21 of meer		12,4 %	4,5 %	8,5 %

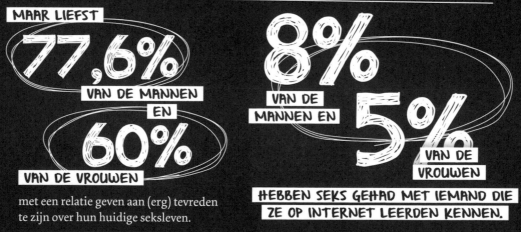

MAAR LIEFST

77,6%
VAN DE MANNEN
EN
60%
VAN DE VROUWEN

met een relatie geven aan (erg) tevreden
te zijn over hun huidige seksleven.

8%
VAN DE
MANNEN EN
5%
VAN DE
VROUWEN

HEBBEN SEKS GEHAD MET IEMAND DIE
ZE OP INTERNET LEERDEN KENNEN.

Bron: Seksuele gezondheid in Nederland 2011

Speel op safe

(7)

Je wisselt de hele avond al betekenisvolle blikken uit, je hebt samen de hele barvoorraad wodka-lime opgedronken, gelachen om je dronken vrienden, net iets te dicht tegen elkaar aan gestaan, elkaars exen besproken en steken in je buik gekregen van een warme adem in je nek. Onderweg naar huis kun je niet meer van elkaar afblijven. In het halletje van je appartement ruk je wild de kleren van elkaars lijf en kun je met je blote kont tegen de stenen boeddha voor de ingang nog maar aan één ding denken. En dat is niet een condoom.

⬇

Speel op safe 07

Komt het je bekend voor? In een passionele omhelzing is veilige seks meestal het laatste waar je aan wilt denken. Helemaal als je een drankje op hebt, schiet het er nog wel eens bij in. Nu is drank en seks sowieso niet mijn favoriete combinatie (zie hoofdstuk Seks & Drugs), maar ook om het condoom niet te vergeten ben ik er liever met mijn volle verstand bij. Natuurlijk heb ik ook wel eens een foutje gemaakt. In het heetst van de strijd of nadat een man me diep in mijn ogen aankeek en zei: 'Je kunt me echt vertrouwen.' Hoe naïef is dat?

'Ik heb niets, joh. Dat zie je toch!' zei hij terwijl we al uitgekleed in bed lagen. Ik wilde lachen om de domme opmerking, in de hoop dat hij een grap maakte, maar zijn geile ogen en zijn zwoele blik zeiden genoeg. Ik keek naar het harde apparaat van mijn sekspartner en zag er inderdaad niets aan. Een glimmende kop zonder pukkels of blaasjes, die mooi roze kleurde en waar ik graag een condoom overheen zag gaan. Maar daar dacht hij heel anders over. Hartstochtelijk begon hij mijn borsten te zoenen. En ik wist hoe dom ik was toen ik me overgaf.

De volgende dag zat ik met het schaamrood op de kaken bij de GGD. Daar kenden ze mij inmiddels, want zelfs als een vriendje er lafjes tegenaan had gehangen, was ik al bang voor de

SEKSNETWERK
Een heteroseksuele vrouw van 30 jaar die 5 seksuele partners heeft gehad en een geliefde die ook met 5 mensen seks heeft gehad, komen al snel op een seksnetwerk van 30 man. En daar zou er zomaar eentje tussen kunnen zitten met een soa onder de leden. Doe ook de ex-o-meter op Sense.info en kom erachter hoe groot jullie seksnetwerk is.

ergste ziekten. Ik wist dat als je niet uren wilde wachten, je er vroeg moest zijn. Niet te vroeg, want dan sta je met half Amsterdam op de gracht te wachten voordat de deur opengaat. En dat is niet fijn. Zeker niet als je bekend bent. Ik trok een nummertje en ging in de wachtkamer zitten, waar iedereen een beetje besmuikt naar de grond keek. Toch bijzonder dat we allemaal deden alsof er niets aan de hand was, terwijl we wisten dat iedereen in de wachtkamer het onveilig had gedaan. Mijn nummertje verscheen op het scherm. Ik stond op en focuste op mijn voeten, in de hoop me daarmee onherkenbaar te maken. Zo snel mogelijk liep ik naar de onderzoekskamer en trok opgelucht de deur achter me dicht. Het ergste was voorbij. Godzijdank hoefde ik niet met mijn billen bloot een vreemde man in mijn vagina te laten roeren. Ik mocht gewoon zelf op het toilet met een wattenstaaf een kweekje nemen en daarna nog bloed laten prikken. Alleen dat kweekje bij de balie afgeven was niet echt prettig. Zeker als de baliemedewerkster kauwgomkauwend 'Hé, Nicolette!' zegt als ze het in ontvangst neemt. Op die momenten zou ik een moord doen voor anonimiteit.

Raar eigenlijk dat iets wat goed is – jezelf laten checken – zo verschrikkelijk ongemakkelijk kan voelen. Ik ben er altijd goed van afgekomen, maar het had ook anders kunnen aflopen. En dat realiseer je je vaak pas als je penis eraf zweert of je vagina op een etterend maanlandschap lijkt. Want 'zoiets gebeurt jou toch niet?'.

Van vriendinnen en zelfs collega's hoor ik regelmatig dat ze het zonder condoom hebben gedaan. Onveilige seks lijkt wel een trend. Je zou denken dat steeds meer

> **WAARSCHUWEN**
>
> Als je ontdekt dat je een soa hebt, is het van belang om je sekspartner(s) van het laatste half jaar te waarschuwen. Het kan zijn dat zij ook besmet zijn. Durf je niet? De GGD heeft een systeem waarmee je eventueel anoniem je sekspartner(s) per sms of e-mail op de hoogte kunt stellen.

Besmet

Per jaar bezoeken ongeveer 15.000 mensen hun huisarts i.v.m. genitale wratten.

Naar schatting zijn er **60.000** nieuwe chlamydia-infecties per jaar in Nederland.

OMDAT ER NIET ALTIJD KLACHTEN ZIJN, KAN HET EEN TIJDJE DUREN VOORDAT IEMAND ONTDEKT BESMET TE ZIJN.

Ongeveer **10.000** bezoeken hun huisarts i.v.m. herpes genitalis.

Bron: Soaaids Nederland

Hiv

In Nederland hebben zo'n 25.000 mensen hiv. Naar schatting hebben 8.000 tot 10.000 van deze mensen niet in de gaten dat ze hiv hebben en kunnen daardoor anderen infecteren zonder het te weten, bijvoorbeeld door onveilige seks. Jaarlijks wordt bij gemiddeld 1.100 mensen in Nederland de diagnose hiv gesteld. Dit is voor 60% bij homoseksuele mannen en voor 30% bij heteroseksuelen. Voor het eerst zijn er meer nieuwe diagnoses bij hetero's afkomstig uit Nederland dan bij mensen afkomstig uit de Sub-Sahara in Afrika.

⬇

Wereldwijd zijn er zo'n 34 miljoen mensen met hiv. In 2011 zijn er 2,5 miljoen nieuwe hiv-diagnoses gesteld en zijn 1,7 miljoen mensen overleden aan de gevolgen van aids.

Bron: Stichting HIV Monitoring & UNAIDS

mensen zich ervan bewust zouden moeten zijn, maar ik hoor het steeds vaker. 'Ach, ik was lam', 'Nee joh, dat is zo'n net meisje, die heeft niets' of 'Hij zei echt dat hij zich laatst nog gecheckt had.'

Als ambassadeur van Stop Aids Now kan ik me hier erg druk over maken. Want de ziektes die je kunt krijgen, zijn ernstig. Dat is me tijdens een indrukwekkende reis naar Kenia schrijnend duidelijk geworden. In dit prachtige land zijn 1,5 miljoen mensen besmet met hiv. In Kenia zijn een miljoen kinderen wees omdat hun ouders zijn overleden aan aids. Ze hebben weinig kennis over hiv en veel kinderen denken nog steeds dat je het kunt krijgen door iemand zijn hand te schudden. Of dat je het tegengaat door een condoom op een stok te schuiven en de stok voor je deur te zetten. De voorlichting die Stop Aids Now in Kenia geeft, is dan ook van onschatbare waarde en ik was blij dat ik ze hierbij een handje mocht helpen.

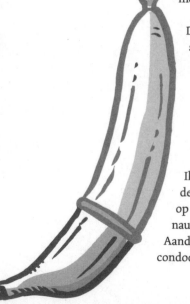

De eerste dag bezochten we Kibera, de grootste sloppenwijk in Nairobi, waar miljoenen mensen in houten hutjes wonen. Met het witte safaribusje stopten we bij de 'school', oftewel een oud vervallen gebouw waar veel jongeren dagelijks samenkomen. Tientallen kinderen kwamen lachend op me af gerend. De een trok aan mijn jas, de ander aan mijn hand, allemaal wilden ze aandacht van die rare blonde vrouw.

Ik werd naar het openluchtlokaal gebracht, waar een dertigtal tieners met een kladblok in de aanslag netjes op me zat te wachten. Deze kinderen zijn arm en krijgen nauwelijks scholing, maar aan inzet ontbrak het ze niet. Aandachtig luisterden ze naar mijn verhaal en terwijl ik een condoom over een nepdildo schoof, werd er geen moment

Seks, een van de weinige dingen die leuker worden als je het veilig doet.

Loesje

gegrinnikt. De tieners schreven ijverig ieder woord op dat ik zei. Heel iets anders dan een lesje seksuele voorlichting op een willekeurige school in Nederland, waar tieners toch vaak een beetje ongemakkelijk worden als het over seks gaat. Maar hier zijn aids en hiv een groot probleem, dus denk maar niet dat iemand lachte. Ik vond het aandoenlijk en vervolgde mijn verhaal zo goed mogelijk. Toen ik na de uitleg met een vette knipoog tegen de tieners zei: 'So, now we can have sex,' moesten ze lachen, maar verder was het serieuze kost. Na afloop werd er geapplaudisseerd en zwaaiden ze me enthousiast na, terwijl ik in het busje naar de volgende sloppenwijk reed. Ik voelde me goed dat ik ze mocht laten meedelen in de kennis die voor mij zo vanzelfsprekend is, maar ook bevoorrecht, want met al het onderwijs in Nederland had ik die kennis gewoon gekregen.

'Nee joh, dat is zo'n net meisje, die heeft niets.'

Met dat in je achterhoofd is het cru dat wij hier – zelfs als we weten wat de gevolgen kunnen zijn – nog steeds dikwijls de verkeerde keuze maken. Als ik een onveilig seksverhaal hoor van een van mijn vrienden of vriendinnen, kan ik het dan ook niet helpen te denken aan de ellende in Kenia. Ik hoop van harte dat het taboe rondom veilig vrijen wordt doorbroken en iedereen het onderwerp – ook in het heetst van de strijd – durft aan te kaarten. Want al die excuses van: 'Ach, je lost het wel op met een pilletje' of 'De GGD is toch gratis' zijn echt onzin. Je lost hiv niet op met een pilletje, het is een chronische ziekte. En de GGD is inderdaad gratis, maar brengt ook gratis slecht nieuws.

Perfect fit

Hoewel condooms enorm rekbaar zijn, kunnen mannen merken dat condooms te los of te strak zitten. Via Condomerie.com kun je online je condoommaat berekenen. Je kunt hier trouwens ook terecht voor een lichtgevend condoom of een veganistisch condoom.

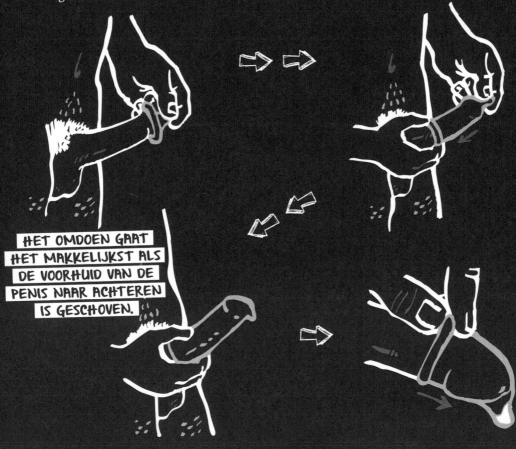

HET OMDOEN GAAT HET MAKKELIJKST ALS DE VOORHUID VAN DE PENIS NAAR ACHTEREN IS GESCHOVEN.

Condooms

Over condooms beginnen, vinden veel mensen lastig en niet het leukste onderdeel van een vrijpartij.

Hier enkele tips:

Maak een plan

Bedenk vooraf dat je het veilig wilt doen en hoe je dat gaat aanpakken. Haal condooms in huis en leg ze op een handige plaats of neem ze mee.

Houd het kort

Ga geen hele inleiding beginnen, maar zeg het direct en to the point.

Geen woorden maar daden

Pak het condoom erbij zonder er woorden aan vuil te maken. Handig om hem bij de hand te hebben bijvoorbeeld in je nachtkastje of leg hem alvast klaar onder je kussen als je spannend bezoek verwacht.

Bij pijpen is er risico op syfilis, herpes genitalis, chlamydia en gonorroe. Door een condoom te gebruiken, sluit je dit risico uit.

ORAAI

8

Wist je dat wij vrouwen het er helemaal niet
zo best afbrengen? Dat we het te hard doen, te
zacht, te pijnlijk, te langzaam, te snel of te lief ?

VERTIER

In de uitzending van *Spuiten en Slikken* ontvang ik de meest uitgesproken gasten. We nodigen altijd een bekende Nederlander uit en vaak ook een gast die iets kan vertellen over een onderwerp dat de redactie aanspreekt. Eén keer per week op maandagochtend vergaderen we en dan komt er van alles ter sprake. Beffen, baffen, rukken, spuiten, ketsen, allerlei feestelijke onderwerpen passeren de revue. Dit keer werd het pijpen. Want, vroegen we ons af: hoe geef je een man een pijpbeurt om nooit te vergeten? Natuurlijk had de eindredacteur een goed idee om dat uit te vinden: Ik zou een cursus pijpen krijgen. Fijn.

⬇

ORAAL VERTIER 08

Want wist je dat wij vrouwen het er helemaal niet zo best afbrengen? Dat we het te hard doen, te zacht, te pijnlijk, te langzaam, te snel of te lief? Eigenlijk zouden alle vrouwen moeten leren pijpen van een man. Want mannen en mannen alleen kunnen uitleggen hoe om te gaan met die genotsknots. Zo kwam het dat de zondagavond van de uitzending ook een homo aanschoof als 'expert'. Hij zou ons aan de hand van een heel grote neppenis een lesje pijpen geven. 'De fout die veel vrouwen maken, is dat ze hun tanden gebruiken,' begon hij. 'Dat is niet nodig en vaak zelfs heel onprettig. Een andere fout die vrouwen maken, is dat ze denken dat ze hard moeten zuigen,' vervolgde hij. 'Ook niet een klein beetje?' vroeg ik hem verbaasd. Shit, zal ik dan ook een slechte orale bevrediger zijn? Ik was ervan overtuigd dat ik dit kunstje wel onder de knie had. 'Nee, niet te hard zuigen dus.' De kunst van het subtiel zuigen is dat je net doet alsof je een Calippo eet en uit zijn kartonnetje wil zuigen. Fijne tip, maar nu kan ik dus nooit meer onbezorgd van een cola-Calippo genieten op een zomerse middag aan het strand.

De volgende tip vond ik echt schokkend. Deze man vertelde mij op 28-jarige leeftijd iets wat ik niet wist. Er zit geen gevoel in de stam van de penis. Alleen bovenin. Je meent het! Ik gierde het uit en het publiek achter mij in de studio met mij. Al die jaren dat ik de hele penis onder handen had genomen was dus voor niets geweest. Je moest je best doen op de top van de ijsberg, de rest was bijzaak. De keren dat ik heb gewreven, gelikt, gekust daar onder aan die boom waren dus niets waard. Ongelofelijk.

'Oké, en verder?' vroeg ik angstig.
'Vergeet de ballen niet,' zei hij. 'De ballen moeten meegenomen worden.'
'Waarom?' vroeg ik.
Hij kon het niet uitleggen, behalve dat als de bal niet wordt meegenomen er geen bal aan is. Je kunt erover wrijven, likken, knijpen of in je mond nemen.

Nou, we hadden weer een hoop geleerd. Ik mocht vijf minuten besteden aan de cursus pijpen en had er bijna tien van gemaakt. Ik zag dat de tijd om was en mijn vloermanager gaf aan hoeveel minuten ik over had voor mijn volgende gast. 'Ontzettend bedankt voor je komst. Deze tips ga ik vanavond uitproberen,' zei ik.

ZUIGEN OF BLAZEN

Officieel heet pijpen 'fellatio', van het Latijnse fellare, dat zuigen betekent. In het Engels wordt het een blowjob genoemd en in het Duits wordt gesproken over blasen. Pijpen zou ook blazen beteken. De Italianen hebben het over pompare, wat zoveel als heen en weer bewegen betekent. Allen lijken een beschrijving te geven van hoe orale seks gedaan dient te worden. Bovendien zijn de beschrijvingen behoorlijk tegenstrijdig. Maar in beschrijvingen van hoe mannen het fijn vinden om oraal te worden verwend, wordt zelden gerept over blazen, en zuigen is ook niet altijd gewenst.

WEINIG GEVOEL IN STAM

In de embryonale ontwikkeling zien de mannelijke en vrouwelijke genitalia er in eerste instantie identiek uit. De geslachtsdelen van de man en de vrouw zijn uit hetzelfde basismateriaal gevormd. De eikel van de man en de clitoris van de vrouw vertonen sterke gelijkenissen. Bij vrouwen geldt dat de clitoris het meest gevoelige deel is van het gehele genitale gebied. De schaamlippen zijn ook gevoelig en het begindeel van de vagina ook, maar dieper van binnen voelen vrouwen niet zoveel. Bij mannen is dit vergelijkbaar. De meeste gevoelszenuwen zitten in de eikel. De rest van de penis is ook wel gevoelig, maar het meeste plezier is toch op de top van de berg te beleven.

SCROTUM

De ballen, of eigenlijk de balzak (het scrotum), zijn ook een erg gevoelig gebied. Maar waar de ene man pas echt kan genieten als de ballen ook aandacht krijgen, is de andere man juist afgeleid als de ballen worden gestreeld. Dit deel is namelijk ook extra gevoelig voor pijn. Een tikje te hard en de opwinding is weg.

ANILINGUS

Ook de anus kan met de mond gestimuleerd worden. In het Latijn 'anilingus' en in de volksmond rimmen of baffen genoemd. Rond de anus bevinden zich heel veel zenuwuiteinden, waardoor dit een gevoelig plekje is en lekker om daar gestimuleerd te worden. Maar let op: door de hoeveelheid bacteriën is de kans op een infectie groot. Beter gebruik je een beflapje voor je je in dit gebied begeeft.

BEFTIPS

BEFFEN

SLOWSTART:

bouw het langzaam op, zowel qua tempo als qua intensiteit. Dus ga niet in sneltreinvaart op de clitoris af, maar verken en verwen eerst de liezen en de buitenste en binnenste schaamlippen voordat je bij de clitoris beland.

PLATTE TONG:

houd je tong plat en zacht tegen de clitoris aan en zet dan langzaam wat druk. Op deze manier bedien je een groter oppervlak en krijg jij minder snel kramp in je tong dan wanneer je een punttong maakt.

VOER DE DRUK OP:

je kunt eventueel een vinger gebruiken om de spanning wat op te voeren. Onthoud dat de vinger slechts ter ondersteuning dient van je orale kunsten, dus doe het rustig aan.

LET OP HAAR REACTIE:

als ze wat afweert, doe dan rustiger aan of ga over op iets anders. Als je ziet dat ze geniet, voer het tempo dan wat op en oefen wat extra druk uit.

Het stimuleren van de geslachtsdelen van de vrouw met de mond wordt ook wel 'likken' genoemd of in het Latijn 'cunnilingus'. Strelingen met de tong of de lippen zijn extra warm en zacht en zijn daardoor geliefd bij veel vrouwen. Met name de clitoris en de schaamlippen, maar ook de vaginaopening zijn gevoelig. Sommige vrouwen hebben moeite zich oraal te laten verwennen, doordat zij nog onvoldoende bekend zijn met hun eigen lichaam. Zo kunnen gedachten als 'ben ik wel schoon' of 'vindt hij het niet vies' het genieten behoorlijk in de weg staan. Meestal is het vocht dat vrijkomt bij seksuele opwinding neutraal of licht zoetig van smaak en de meeste mannen vinden dit juist opwindend.

's Avonds stap ik stuiterend van energie de slaapkamer in, vastbesloten de opgedane kennis meteen in praktijk te brengen. Ik zal de tijd dat ik het wellicht fout heb gedaan in één klap wegnemen. Mijn vriend ligt echter in comateuze toestand. Ik kleed me uit en probeer zoveel mogelijk geluid te maken; ik gaap uitgebreid, sla de kastjes dicht van mijn kledingkast en poets mijn tanden zoals ik ze nog nooit gepoetst heb. Tevergeefs. Hij zucht een keer diep en draait zich weer om. Shit, ik zal je krijgen met mijn Calippo-uit-een-kartonnetje-truc! Ik vraag mijn hond Spot te hulp, die aan het voeteneinde een plekje heeft bemachtigd. Spot is dol op sokken en het apporteren ervan. Ik stop een oude sok bij mijn vriend onder de dekens en fluister: 'Zoek, Spot, zoek'. Maar ook Spot doet niet mee aan mijn plannetje en snurkt verder. Ik besluit maar het heft in eigen handen te nemen en kruip onder de dekens. Ik zoek naar de Calippo en vind deze opgesloten in een boxershort. Ik geef het op. Dat wordt dromen van cola-Calippo's.

'DE KUNST VAN HET SUBTIEL ZUIGEN IS DAT JE NET DOET ALSOF JE EEN CALIPPO EET EN UIT ZIJN KARTONNETJE WIL ZUIGEN. EN: VERGEET DE BALLEN NIET.'

DEEP THROAT

Bij deze pijptechniek is het de bedoeling de penis zo diep mogelijk in de keel te steken. Zo diep dat de eikel tegen het zachte gedeelte in de keel komt. Ook hier gaat het dus om de gevoelige eikel. Hoewel het beeld dat de penis zo diep in de mond verdwijnt ook bij kan dragen aan de opwinding. Maar let op: doordat de penis zo diep in de keel komt, is de kans op kokhalzen aanwezig. In 1972 verscheen een cult-pornofilm met als titel *Deep Throat*. Hierin wordt bij de hoofdpersoon, een seksueel gefrustreerde vrouw, vastgesteld dat haar clitoris zich in haar keel bevindt. Een arts adviseert haar veel en diep te pijpen zodat de penis van haar man haar clitoris kan stimuleren. Deze film heeft voor flink wat ophef gezorgd toen deze in de jaren zeventig in de Nederlandse bioscopen werd vertoond en in 2008 op televisie. Toch keken naar schatting 600.000 mensen de film af. Dat is ongeveer elf keer een volle Amsterdam ArenA.

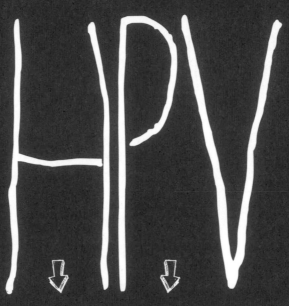

Het humaan papillomavirus (HPV) veroorzaakt niet alleen baarmoederhalskanker, maar kan ook keelkanker tot gevolg hebben. Het percentage keelkanker dat veroorzaakt is door HPV is de laatste twintig jaar gegroeid van 5% naar 30%, blijkt uit onderzoek van het VUmc. HPV wordt overgedragen via seksueel contact. Uit eerder Amerikaans onderzoek is gebleken dat een hoog aantal wisselende seksuele partners en orale seks risicofactoren zijn voor het krijgen van HPV-geïnduceerde keelkanker. Bijna iedereen komt in zijn of haar leven in aanraking met HPV. HPV wordt daarom ook niet gezien als SOA. De HP-virussen leven op of in de huid en slijmvliezen. Er zijn meer dan honderd verschillende soorten HPV en de meeste vormen geven geen klachten. Er zijn een paar soorten die kanker kunnen veroorzaken, maar gelukkig bij een minderheid van de mensen die geïnfecteerd worden. Helaas kun je er nog niet zoveel tegen doen, behalve niet te veel verschillende seksuele partners hebben en zoveel mogelijk veilig vrijen. Je hier te druk over maken heeft niet veel zin, want in het dagelijks leven word je continu blootgesteld aan allerlei virussen en word je ook niet van ieder virus ziek.

MICHAEL DOUGLAS

IN DE ZOMER VAN 2013 KWAM IN EEN INTERVIEW MET MICHAEL DOUGLAS IN THE GUARDIAN TER SPRAKE DAT HIJ KEELKANKER HAD GEHAD. OP DE VRAAG OF HIJ NU SPIJT HAD VAN AL DIE JAREN ROKEN EN DRINKEN, DIE VAAK DE OORZAAK ZIJN VAN KEELKANKER, ANTWOORDDE HIJ 'NEE'. EN LEGDE UIT: 'WANT ZONDER TE VEEL IN DETAILS TE TREDEN, DIT TYPE KANKER KOMT VAN HET HUMAAN PAPILLOMAVIRUS (HPV), DAT DOOR CUNNILINGUS OVERGEDRAGEN KAN WORDEN.' TOEN IN DE PERS WERD OVERGENOMEN DAT MICHAEL DOUGLAS KEELKANKER HAD GEKREGEN VAN BEFFEN, RECTIFICEERDE HIJ DAT HIJ HIERBIJ NIET OVER ZICHZELF SPRAK, MAAR DE OPMERKING IN HET ALGEMEEN HAD GEPLAATST.

Happy
END

'DE FIJNSTE, LEKKERSTE EN MEEST
VERGAANDE EROTISCHE MASSAGE UIT
JE DROMEN WORDT WERKELIJKHEID
BIJ DAVID M. UIT VLAANDEREN.'

Waarom krijgen mannen na hun massage wel een vrolijk eind aangeboden en sta
ik meestal een beetje zuur de ietwat hoge prijs te betalen voor de net te zachte
massage? Een vrolijk einde, eigenlijk zou het met alles zo moeten zijn. Wat zou dat
de wereld mooi maken. Koop je brood bij de bakker, doet de bakker een extraatje
bij je kadetje. Kom je bij de slager, wordt er gevraagd: mag het ietsje meer zijn? En
hup, in plaats van geen nee durven zeggen tegen een onsje meer rosbief, wordt je
eigen hamlapje in het zonnetje gezet.

↓

Happy end   09

DOE MIJ OOK ZO'N HAPPY END. EN DUS GING MIJN HART SNELLER KLOPPEN TOEN IK GEATTENDEERD WERD OP HET VOLGENDE:

⬇

MASSAGE

DE FIJNSTE, LEKKERSTE EN MEEST VERGAANDE EROTISCHE MASSAGE UIT JE DROMEN WORDT WERKELIJKHEID BIJ DAVID M. UIT VLAANDEREN, PROFESSIONEEL EROTISCH MASSEUR.

Je krijgt stijlvolle topkwaliteit in een rustgevend en intiem kader. Met ervaring, bekwaamheid en toewijding wordt je lichaam helemaal tot in de puntjes verzorgd en verwend, geen plekje wordt overgeslagen. Zachte, liefhebbende handen glijden over je lichaam, grijpen je spieren en strelen je huid. Enkel de beste massageproducten worden gebruikt. Heerlijk ruikende, zalig aanvoelende olie geeft je totale ontspanning en laat je glanzen en schitteren. *Geef je over aan deze schaamteloze verwenning. Alles kan en mag, want je lichaam wordt met liefde behandeld en op de best mogelijke manier verwend.* Je bent het waard, je hebt recht op dit totale genieten dat slechts weinigen gegeven is. Zulke passie vind je niet in wellnesscentra. Je voelt je herboren na deze sensuele massage.

AARZEL NIET, RESERVEER JE PLAATSJE.

---

106 happy end

De tekst maakte me supernieuwsgierig. Wat voor man zou dit doen? Een knappe, aantrekkelijke Richard Gere uit *American Gigolo* of een kleine, onooglijke Danny DeVito? En zou zijn 'schaamteloze verwenning' echt lekker zijn? Ik wilde het graag uitzoeken om er later ook een uitzending over te maken, dus trok ik samen met een vriendin de stoute schoenen aan.

In mijn Renault Twingo uit het jaar kruik reden we naar het adres dat we telefonisch hadden doorgekregen. Als een stel pubers fantaseerden we over hoe het zou zijn. Zouden we ons kunnen overgeven, ervan kunnen genieten? Mannen zouden waarschijnlijk staan te popelen om zo'n massage van een onbekende vrouw te ondergaan, terwijl wij een beetje giechelden bij het idee dat een wereldvreemde ons ging betasten.

HISTORIE

In de negentiende eeuw kon je als vrouw ook bij de arts of vroedvrouw terecht voor een intieme massage. Vrouwen die last hadden van hysterie, oftewel onbevredigde seksuele behoeftes, konden bij de dokter een genitale massage krijgen. Hierbij werd zo mogelijk toegewerkt naar een hysterisch spasme, oftewel een orgasme, zodat de lichaamssappen weer in balans waren en de vrouw opgelucht adem kon halen.

Aangezien dit een tijdrovend en arbeidsintensief klusje was, werden de vrouwen ook wel behandeld middels hydrotherapie, waarbij een waterstraal op de vulva werd gericht. Iets later werd de vibrator uitgevonden.

In een afgelegen dorp in Zuid-Holland gaf het navigatiesysteem aan dat we er waren. 'Zou je niet verwachten,' grapte ik, 'als je hier op ANWB-fietsvakantie doorheen rijdt. Dat je je in zo'n net en idyllisch dorp schaamteloos kunt laten verwennen.' We parkeerden de auto voor de deur en met klamme handjes stapten we de salon binnen. De wachtruimte met gekleurde doeken en grote gouden

G-SPOT-MASSAGE

De G-spot, herleid van de Gräfenbergspot, is niet een orgaan maar een gebied. Dit gebied is te vinden door een vinger in de vagina in te brengen: hij ligt bij de meeste vrouwen op zo'n 2 à 3 cm aan de buikzijde van de vagina. Stimulatie hiervan kan vrouwen tot grote hoogte brengen en wordt in verband gebracht met de vrouwelijke ejaculatie. Er is nogal wat onduidelijkheid over de G-spot, maar het lijkt erop dat het de achterzijde van het clitorale weefsel is. De clitoris is namelijk veel groter dan het kleine puntje dat wij kennen en heeft grote uitlopers langs de vagina en schaamlippen. Doordat iedere vrouw anatomisch net iets anders is, leidt stimulatie van dit specifieke gebied niet bij iedereen tot seksueel genot.

lampen moest een mysterieuze oosterse sfeer uitstralen, maar leek eerder op de etalage van de Xenos tijdens de India-koopjesweek. De muren waren gesaust in pruimenpaars en de kozijnen in Napels-geel. Waarom vallen dit soort details mij altijd op? En wat deed ik hier in godsnaam? Een man met zo'n inrichting moest wel een Adonis zijn, anders was ik allang weg geweest. Wat me nog het meest irriteerde, was een bordje waarop stond: heerLIJK. Waarom is LIJK in kapitalen gedrukt? Ging ik hier als een LIJK weg? Ik kon niet zeggen dat ik erg opgewonden raakte van de omgeving. In mijn hoofd was ik de zaak opnieuw aan het decoreren, ik verbaasde me over de woorden die in trendy letters op de muur waren geschilderd. Naast heerLIJK stond ook het woord SEX. 'Nou, let the games begin!' zei ik met een diepe zucht.

'Ja,' riep ze enthousiast, zonder zich ook maar een seconde druk te maken over de 1001-nacht-imitatie waarin we waren beland. Met grote ogen, trappelend van ongeduld, wachtte ze op haar Aladdin. Vreemd, want ze is niet bepaald behoeftig.

Deze bloedmooie vrouw met lange donkere krullen, amandelkleurige huid, volle zwoele lippen en een lichaam als JLo kan in de kroeg elke vent mee naar huis nemen. 'Maar dit is zo spannend, omdat je je helemaal moet overgeven aan een volledig onbekende. Bovendien lijkt het me ook heerlijk om zelf eens niets te hoeven doen en volledig verwend te worden,' zei ze met een stoute lach. Mmm, misschien moest ik ook maar zo bekijken. Me openstellen voor het avontuur en bedenken dat we hier met z'n tweeën nog jaren over zouden grappen. 'Kom op, je kan het,' probeerde ik mezelf moed in te praten.

Achter de (Kenia-)witte deur in deze gestileerde kamer zou het orgasme zich verstopt houden. Op het moment dat ik me net inbeeldde dat een superlekkere man de deur opendeed, werd deze hard opengerukt. Daar stond hij: een op het eerste gezicht niet onaantrekkelijke brede man met halflange zwarte haren, maar zijn grote zegelring en gouden schakelketting verrieden zijn ietwat ordinaire smaak. We waren aan de beurt. Ik kon niet eens om de woordspeling lachen. De met olie besmeurde badjas waarin ik werd gehesen, hielp ook niet. Mannen zouden hier waarschijnlijk geen enkel probleem mee hebben. Er is geen man die denkt: sorry, ik heb hier liever niet een orgasme, want ik vind het hier niet zo schoon. Terwijl ik de stofvlokken in de hoeken zag dwarrelen, probeerde ik te denken als een man: dit is geil.

Mijn vriendin werd in een andere kamer geholpen. Paniekerig wuifden we elkaar uit: veel plezier, succes, tot zo. Ik deed bijna de deur dicht met mijn hoofd er nog tussen. Ik wilde helemaal niet alleen achterblijven. Ik hield me stoer omdat ik het wilde ervaren, maar mijn hele lichaam schreeuwde nee. Ik moest mij uitkleden en had het gevoel dat ik bij de dokter was voor een inwendig onderzoek waar ik tegen opzag, in plaats van voor een ultieme sensatie. Ik ging liggen op een net iets te vettig bed, waar voor mij waarschijnlijk net iemand zijn hoogtepunt op had beleefd. Getver. Ik voelde zijn warme handen op mijn huid en zachtjes begon hij me met olie te masseren. Er stond een cd'tje met love songs op en ik probeerde met alle macht in de mood te komen en te ontspannen. De laatste keer dat ik een goede massage kreeg, was in het appartement van een ex-vriendje. We hadden de hele avond gedanst en eenmaal thuis hadden we ons moe op de bank gestort. Hij kleedde me langzaam uit en masseerde me van top tot teen. Het was superromantisch hoe hij met zijn handen elk deel van mijn lichaam beminde.

Nu voelde ik onbekende handen mijn lichaam kneden. En na een tijdje gleed zijn hele lijf over me heen. De stoppels van zijn net iets te lang geleden geschoren tuin boven zijn piemel prikten in mijn rug. En dat was niet het enige wat in mijn rug priemde. Hij had er duidelijk zin in. De massage was oké, maar ik zou er niet voor betalen als het een sportmassage was geweest. Het was te zacht om mijn spieren los te krijgen en te hard om er opgewonden van te worden. Maar dat lag misschien ook aan de omstandigheden. 'Vind je het lekker?' vroeg hij met een hijgerige,

> 'IK VOELDE ONBEKENDE HANDEN MIJN LICHAAM KNEDEN. NA EEN TIJDJE GLEED ZIJN HELE LIJF OVER ME HEEN.'

geile stem. 'Uhm, nee niet echt, wel lekker, maar niet geil.' Dat was zijn teken, eropaf, dacht hij en hij begon een rondje te draaien om de hotspot. 'Weet je, dit gaat het niet worden. Ik betaal je, maar vinger mij alsjeblieft niet,' zei ik en ik klom van de tafel om me zo snel als ik kon weer aan te kleden.

Mijn vriendin kwam met een verdwaasde blik en een afro de andere kamer uit. 'Wow, dit was te gek, hè,' zei ze. Geèn idee wie haar onder handen had genomen, maar ze zag er zo blij uit, dat ik ook blij voor haar was. 'Ik vond het zo lekker,' zei ze. Ik kon het me niet voorstellen, maar om de pret niet te drukken, zei ik: 'Heerlijk hè, meid! Kom op, we gaan een wijntje drinken.' Dat orgasme trok ik vanavond wel ergens van een kruk.

Tips & Tricks

Een erotische massage is natuurlijk veel meer dan een genitale massage. Misschien zijn de andere lichaamsdelen juist wel belangrijker. Maar ook de algemene sfeer is van belang. Voor een goede erotische massage zijn de volgende dingen belangrijk:

Kies de juiste setting:

denk aan temperatuur, privacy (gordijnen dicht), prettige ondergrond.

Verwen alle zintuigen:

zorg voor zacht licht, lekker geurende massageolie en een muziekje erbij.

Bouw het langzaam op:

begin bijvoorbeeld met de rug en dan via billen, buik naar borst(en) en verder…

Durf te experimenteren:

pak er eens een veertje bij, zachte of gladde handschoenen, tijgerbalsem (wees voorzichtig op de intieme delen).

Neem de tijd:

niets opwindender dan spanning opbouwen en teasen.

En dan als kers op de taart:

⇩ ⇩ ⇩ ⇩ ⇩ ⇩ ⇩ ⇩ ⇩ ⇩ ⇩

EEN HAPPY END

⇧ ⇧ ⇧ ⇧ ⇧ ⇧ ⇧ ⇧ ⇧ ⇧ ⇧

SEKS &

10

Aantrekken en afstoten, we waren er
beiden uiterst bedreven in. Totdat er op een
avond veel te veel drank aan te pas kwam.

DRUGS

Seks en drugs is niet mijn favoriete combinatie. Ik heb een aantal keer gesekst onder invloed van verdovende middelen, maar het kan me niet echt tot grotere hoogten brengen. Met XTC op word je een vredelievende knuffelbeer en na een snuifje coke veranderen de meeste mannen in konijnenneukers (zie hoofdstuk Zoetsappig). Alleen seks met wat drank op kan leuk zijn. Al heeft te veel alcohol een tegenovergestelde werking. Mijn grenzen vervagen wel, maar het is voor mij niet bepaald een afrodisiacum. En vroeger was dat nog veel erger.

SEKS & DRUGS

Ik was een jaar of negentien en dronk niet of nauwelijks. Niet omdat het ongezond is of omdat ik er geen zin in had. Ik dronk niet omdat ik modellenwerk deed en van alcohol word je dik. Toch waren er momenten dat ik voor de bijl ging. Voor mijn gezelschap was ik goedkoop, want ik had snel genoeg gehad. Eén of twee glazen champagne en ik maakte de dansvloer al onveilig met gangsterrapbewegingen tijdens een receptie of de boogiewoogie op een whiskyproeverij. Laten we zeggen dat ik na de nodige alcoholische versnaperingen de touwtjes wat liet vieren. Zo ook die avond met de uiterst charmante Christian. Deze knappe en rijke Fransman was voor menig vrouw de catch of the day. Voor mij was hij een goede vriend, maar verder moest ik niets van hem hebben. Tenminste, dat deed ik zo voorkomen. Dat maakte mij tussen alle modellen die voor zijn voeten lagen het meest speciale meisje. Dag en nacht ging ik met hem op stap; we flaneerden over de Champs-Élysées, picknickten langs de Seine, dineerden in een van zijn chique restaurants en dronken cocktails in alle clubs van Parijs. Tweeënhalf jaar lang was hij mijn maatje. We hadden geen seks, maar ik genoot ervan om met hem te flirten. Aantrekken en afstoten, we waren er beiden uiterst bedreven in. Als ik te veel sjans had van andere mannen liet hij ze verwijderen uit zijn club. Ik was van hem, maar ook weer niet. Want als hij na een avond stappen alleen naar huis moest omdat ik me niet gewonnen gaf, pikte hij een ander meisje op. Aan aandacht geen tekort. Hij zwoerde dat hij met mij ging trouwen, de mooiste kinderen zou gaan maken en voor altijd voor mij zou zorgen. Ik hoefde geen dag in mijn leven te werken en zou in een gouden paleis de lakens uit mogen delen aan mijn dienaren. Geen haar op mijn hoofd die daaraan dacht. Hoe leuk ik het ook vond mij soms voor te doen als een rijke snob, ik was maar een meisje uit de polder. Ik hield van paarden en de manegedisco. Totdat er op een avond veel te veel drank aan te pas kwam. Ik had van de assistente van Christian een jurk gekregen. Lichtgroen met groene hakken. Ik moest er op en top uitzien, want er zouden vrienden van hem meegaan. Alleen van het feit dat ik in een jurk werd gestoken gingen mijn haren al overeind staan. Maar het spel met de man die iedereen wilde en ik niet hoefde, vond ik heerlijk om te spelen. Dus liet ik mij over aan de handen van zijn assistent. Ik was inmiddels meer gewend aan het leven als model. Ik verdiende goed, maar was niet zo vermogend als de vrienden van Christian. Daarom nam ik het er nog maar even van. Voor ik het wist, kon ik weer achter de bar op de manege cola tappen. Want als model wist je nooit hoe lang of hoe kort je carrière zou duren.

Eerst gingen we met z'n tweeën sushi en sashimi eten. Ik had er nog nooit van gehoord, maar plakjes vis leken me vetvrij, dus het paste wel in mijn modellendieet. Met stokjes eten was me ook vreemd, dus iedere keer als Christian

ALCOHOL EN TESTOSTERON

De invloed van alcohol op seks is sterk afhankelijk van de hoeveelheid die je inneemt. Een kleine hoeveelheid alcohol doet de remmingen afnemen, waardoor mensen sneller zin in seks kunnen hebben. Daarnaast heeft alcohol invloed op de testosteronspiegel. Bij mannen neemt, ook bij kleine hoeveelheden alcohol, het testosteronniveau af. Seksueel functioneren is afhankelijk van testosteron en daardoor

kunnen mannen na alcoholinname moeite hebben met het krijgen van een erectie of problemen hebben met klaarkomen. Hierbij geldt hoe grotere dosis alcohol hoe grotere kans op seksuele problemen.

weer eens iemand gedag moest zeggen, prikte ik mijn stokje in de sushi en stak het snel in mijn mond. Na deze 'maaltijd' – die nu niet bepaald vullend was – gingen we naar een proeverij van tachtig jaar oude whisky. Geen probleem, leek me, want dat kon je toch gewoon uitspugen?

In een peperdure Bentley reden we door Parijs. Aangekomen bij het proeflokaal in een oude buitenwijk zag ik hoe deftig het was: een rode loper, ober in driedelig kostuum en veel blonde vrouwen op torenhoge stiletto's. Ook zijn vrienden zagen er tiptop uit. Het eerste glas was 75 jaar oud en volgens Christian moest ik het proeven. Ik nam een slok, nog een slok en kon nergens een spuugbak vinden. 'Ben je gek geworden?' vroeg Christian. 'Zo'n mooie whisky kun je echt niet uitspugen.' De 80 jaar oude whisky volgde en daarna de 90, 95 en 100. Van allemaal moest ik proeven – zonder het uit te spugen – en ook nog eens gezellig doen met zijn prestigieuze vriendjes. Ik begon te draaien op mijn hoge hakken en zag inmiddels waarschijnlijk net zo groen als mijn jurk. Ik was ontzettend misselijk, maar wilde me niet laten kennen. Gelukkig was Christian scherp genoeg om te zien dat het niet goed ging. Resoluut zei hij zijn vrienden gedag, gaf me een arm en leidde me naar zijn auto. Ik kwam een beetje bij van de frisse lucht en schoof achter de wagen in. Aangekomen in zijn huis was ik al weer wat nuchterder. Christian liet zijn bubbelbad vollopen en nodigde mij uit om te bubbelen. Hij grapte dat deze bubbels misschien de enige waren die ik kon verdragen. Ineens vond ik hem onweerstaanbaar. Voor het eerst was hij niet alleen spannend en sexy, maar ook ontzettend lief en grappig. Ineens wist ik het zeker. Ik wilde deze man.

Ik klom op hem en we begonnen heftig te zoenen. In mijn hoofd draaide het, maar ik wilde niets anders dan hem bezitten. Alle opgehoopte seksuele spanning van al die

'ALCOHOL WEKT VERLANGEN OP MAAR VERMINDERT HET PRESTATIEVERMOGEN. DAAROM KAN GEZEGD WORDEN DAT OVERMATIG DRINKEN IN STRIJD IS MET SEKSUELE WELLUST' (IN MACBETH) SHAKESPEARE IN 1606.

jaren kwam er in één keer uit. We kusten, beten, knepen en krabden elkaar. Tot ik de enorme drang voelde opkomen om te spugen. Ik had misschien wel zes glazen gedronken terwijl ik nooit dronk. Er was een beest in mij naar boven gekomen, dat ik zolang getemd had gehouden. Ik wilde stoppen met vrijen, maar het lukte me niet meer om het duidelijk te maken. Christian was in alle staten van geluk en ik wist niets meer zeker. Alles wat ik had opgebouwd aan vriendschap, klotste mee met het water dat om ons heen deinde door de bewegingen die hij op mij maakte. Plots hield hij op en hield mijn gezicht in zijn handen. Aan mijn hoofd zag hij dat ik niet verder wilde. Lief als hij was, pakte hij een handdoek en begeleidde me naar het logeerbed aan de andere kant van zijn huis.

Als romantische afsluiting van de avond haalde hij een emmer en zette deze naast mijn hoofdkussen. Tjonge jonge, had ik me hier zo'n tijd tegen verzet en nu we ons eindelijk allebei lieten gaan, moest ik me concentreren om hem niet in één keer helemaal onder te kotsen.

Misschien was het ooit zonder drank ook wel van seks gekomen, omdat ik het stiekem ergens ook wel wilde. Maar nu was het de drank geweest die de doorslag gaf. Jammer, ik had het graag nuchter met hem gedaan zodat ik mij de volgende dag nog iets had kunnen herinneren. De spanning tussen ons is altijd gebleven, maar het is er nooit meer van gekomen.

'WE KUSTEN, BETEN, KNEPEN EN KRABDEN ELKAAR. TOT IK DE ENORME DRANG VOELDE OPKOMEN OM TE SPUGEN.'

DE SPAANSE VLIEG IS
EEN VAN DE BEKENDSTE
LUSTOPWEKKENDE MIDDELEN.
HET BESTANDDEEL
CANTHARIDINE HEEFT EEN
VERGELIJKENDE WERKING
ALS VIAGRA.

(LET OP: EEN TE GROTE DOSIS KAN EEN
AANHOUDENDE ERECTIE VEROORZAKEN.)

HEFTIGER ORGASME

Bij vrouwen neemt bij een kleine hoeveelheid alcohol het testosteronniveau iets toe. Hierdoor kunnen vrouwen sneller zin in seks hebben, gemakkelijker opgewonden worden en een iets heftiger orgasme beleven. Maar bij een te grote inname neemt het verlangen naar seks sterk af en is een orgasme juist minder intens. Bij langdurig alcoholgebruik geldt zowel voor mannen als vrouwen dat de behoefte aan seks sterk afneemt en het bereiken van een orgasme steeds moeizamer wordt. Voor mannen geldt bovendien dat langdurige grote inname van alcohol kan zorgen voor erectieproblemen.

EFFECT VAN ANDERE MIDDELEN:

CANNABIS:

afhankelijk van de sfeer waarin het gebruikt wordt, kun je meer verlangen hebben door een ontspannen stemming en een toegenomen lichamelijke gevoeligheid en waarneming. Remmingen kunnen afnemen onder invloed van hasj of wiet. Nadelen: bij langdurig gebruik krijg je mogelijk minder zin in seks. En door de afname van remmingen ontstaat een vergrote kans om over grenzen te gaan.

GHB:

van oorsprong is GHB een narcosemiddel en het verdooft dan ook het zenuwstelsel. Mits goed gedoseerd kan dit middel een ontzettend geil gevoel geven. Maar een te grote dosis kan ervoor zorgen dat je bewusteloos raakt. Bovendien staat deze drug bekend als 'rapedrug' omdat een verminderd bewustzijn kan optreden, waardoor iemand niet meer in staat is zijn of haar grenzen aan te geven.

VIAGRA EN ANDERE ERECTIEMIDDELEN:

Deze middelen worden steeds vaker als partydrug gebruikt. Het vergemakkelijkt het krijgen en behouden van een erectie. Maar pas op met combineren met andere drugs! Vooral in combinatie met poppers is een erectiemiddel erg gevaarlijk. Het kan leiden tot acute bloeddrukverlaging met het risico op bewusteloosheid of schade aan vitale organen.

COCAÏNE:

Een snuif coke kan maken dat je meer zin hebt in seks. Een man kan bij een kleine hoeveelheid cocaïne een iets verbeterde erectie hebben en minder snel klaarkomen. Cocaïne heeft als nadelig effect dat je erg op jezelf gericht bent. Bij hogere doseringen is het moeilijker om een erectie te krijgen of klaar te komen. Bij langdurig cokegebruik neemt de zin in seks sterk af.

XTC:

staat ook wel bekend als de 'lovedrug'. Onder invloed van XTC kan de behoefte om te zoenen en te knuffelen sterk toenemen. Klaarkomen wordt echter moeilijker door gebruik van XTC.

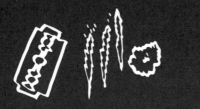

OOIT VAN DAMIANA GEHOORD? DEZE KLEINE PLANT, DIE BEHOORT TOT DE PASSIEBLOEMFAMILIE, ZOU SEKSUEEL STIMULEREND WERKEN EN IS IN KRUIDVORM TE KRIJGEN.

bron: Sense.info

plezier voor vier

(11)

Je seksleven kan wel een oppepper gebruiken, je vindt het spannend om je partner met iemand anders te zien, je wilt vrije seks ervaren of eens een avondje experimenteren met een andere man/vrouw. Dan is swingen wellicht iets voor jou. En dan heb ik het niet over uit je dak gaan op discomuziek.

Plezier voor vier   11

Swingen is een vorm van intieme vriendschap (lees: seks) tussen twee of meerdere stellen of koppels. Meestal zijn het heterostellen die andere hetero-stellen ontmoeten en voor een avondje van partner ruilen. Maar swingen kent verschillende vormen. Zo zijn er swingers die het bij flirten houden of die met hun eigen partner seks hebben, terwijl een ander stel in dezelfde ruimte seks heeft.

Ik leerde deze wondere swingwereld kennen toen ik net voor *Spuiten en Slikken* werkte. Ik was een jaar of 23 en ik had nog nooit van swingen gehoord. Van de term dan, het principe was me wel duidelijk. Ik kon me ook best voorstellen dat het populair was: vreemdgaan zonder echt vreemd te gaan, geoorloofd een scheve schaats rijden, vrijelijk experimenteren. Niets mis mee, toch? Maar hoe werkte dit nu precies? Waar kwamen deze stellen samen? En wat voor mensen deden dit?

'Niemand die nu langsreed zou kunnen vermoeden wat hier aan de gang was. Geiligheid in een boerderijtje langs de snelweg.'

Om hierachter te komen, mocht ik met een stel mee naar een 'swingclub'. Club was misschien niet helemaal het goede woord, want ik kwam terecht op een verlaten boerderij langs de A2 vlak bij Weesp. Van de buitenkant zag het er verlaten en troosteloos uit, maar binnen werd alles anders. Ik stapte binnen in de bar in het hart van de boerderij, waar een gezellige sfeer heerste. In het midden was een discovloertje gemaakt en uit de speakers knalden oude hits. 'Beat it' van Michael Jackson viel in goede aarde, want men stond hier redelijk op los te gaan. Het leek een soort 'ons-kent-onsfeestje' tijdens de jaarlijkse dorpsweken. Opvallend was het gemengde publiek; de huisvrouw met haar bouwvakker, de rijke zakenman en zijn twintig jaar jongere vriendin, het jonge knappe stel en zelfs opa en oma waren van de partij. Ik nam plaats aan de bar en raakte aan de praat met een vrouw in een wit glitterjurkje. 'Ik kan me voorstellen dat de sfeer bedrukt is,' zei ik tegen haar. 'Jullie gaan het toch zo met elkaar doen?'

'Nee joh,' zei ze: 'eerst het liedje.'

En weg was ze, al zwaaiend met haar heupen de dansvloer op. Dit keer schelde 'U can't touch this' uit de speakers. Ik moest lachen. 'Can't touch this?' Dat zou wel meevallen, want iedereen zat hier straks aan elkaar. Wat bedoelde die vrouw nu met 'het liedje'? Het voor-het-zingen-de-kerk-uit-lied? Het lied der liefde? Het levenslied?

Een uur later draaide de discobal overuren en vlogen glitterjurken en stilettohakken over de dansvloer. Niemand die nu langsreed zou kunnen vermoeden wat hier aan de gang was. Geiligheid in een boerderijtje langs de snelweg. Ik zat nog steeds aan de bar verwonderd om me heen te kijken. Er werd al wat getongd en aan elkaar gezeten. De klok sloeg twaalf uur en er klonk een soort van kinderliedje waarin werd gezegd dat iedereen zijn kleren uit moest doen. Wat?!

WIE SWINGEN?

Swingen komt voor in alle lagen van de bevolking. De grootste groep blijkt echter mensen in de leeftijd 30 tot 45 jaar met een lange relatie en een bovengemiddelde opleiding. Opmerkelijk detail: swingers waren vaak al op jonge leeftijd seksueel actief of hadden al op jonge leeftijd een sterke interesse voor seks ontwikkeld.

Jaloezie

Een derde of vierde sekspartner in het spel is vaak spelen met vuur. Het is niet voor iedereen weggelegd om hier onbekommerd van te kunnen genieten. Gevoelens van jaloezie of onzekerheid kunnen soms dusdanig roet in het eten gooien dat het de relatie blijvend kan beïnvloeden. Succesvol swingen is onder meer afhankelijk van de stabiliteit van de relatie. Bovendien zijn succesvolle swingers goed in jaloeziemanagement. Een lichte mate van jaloezie kan de seksuele spanning vergroten en dat maakt de eigen partner aantrekkelijker. Maar je moet goed weten waar je grenzen liggen en wat te doen wanneer deze overtreden dreigen te worden. Maak vooraf afspraken over hoe ver je gaat. Houd je het bijvoorbeeld bij een 'soft swap' (partnerruil waarbij alles mag, behalve neuken) of ga je 'all the way'? Swingen heeft de beste kans van slagen bij een min of meer gelijke machtsverhouding tussen beide partners en bij een gelijke interesse hierin. Wanneer de ene partner veel sterker geïnteresseerd is dan de ander, is de kans op teleurstelling groot.

'SUCCESVOL SWINGEN IS ONDER MEER AFHANKELIJK VAN DE STABILITEIT VAN DE RELATIE. BOVENDIEN ZIJN SUCCESVOLLE SWINGERS GOED IN JALOEZIEMANAGEMENT.'

Swing safe

De GGD Twente heeft in 2011 onderzoek verricht onder swingers in Nederland. De meeste deelnemers swingen zo eens per kwartaal tot eens per maand. 46 procent van de swingers heeft een biseksuele voorkeur. Slechts 20 procent gebruikt een condoom bij orale seks, 73 procent bij vaginale seks en 85 procent bij anale seks. Opmerkelijk: slechts een kwart van de swingers wast regelmatig de handen na seksuele handelingen zoals vingeren en aftrekken met wisselende partners.

Wappers

Onder swingers wordt flink gebruikt. Zo gebruikt 78 procent alcohol en 40 procent drugs.

XTC, GHB, cannabis, lachgas en poppers

zijn de meest gebruikte drugs in de swingerswereld. Swingers die tevens drugs gebruiken, worden ook wel 'wappers' genoemd. 55 procent (vooral mannen) gebruikt potentieverhogende middelen. Bijna driekwart van de wappers combineert twee of meer soorten drugs.

Ik ook? Iedereen ontdeed zich ineens van zijn of haar kleding en ik wist niet waar ik moest kijken. 'Ik ben journalist,' zei ik tegen mezelf, 'dus ik ben beschouwend en hoef hier niet aan mee te doen.' De gasten begonnen te tongen en te flirten, om elkaar heen te draaien en aan elkaar te zitten. De sfeer was meer dan SEKS. Net als in een natuurfilm volgden er paartjes die zich afzonderden in een andere habitat. Iedereen deed zijn of haar best om beter te zijn dan het ene teefje of geiler dan de andere beer. Ik wist niet wat ik zag. 'Al deze mensen gaan dus neuken met of zonder hun partner, terwijl deze wel aanwezig is,' fluisterde ik voor de camera alsof ik verslag deed van een paringsritueel van poolwolven. Ik werd meegenomen naar een soort Cleopatrabad, waar ook geneukt werd. Ik begreep wel dat je hier in de stemming kwam met de marmeren water spugende beelden, het schemerlicht en het warme blauwe water.

Ik kwam aan bij de 'neukmuur', niet te verwarren met de knuffelmuur uit het wildwaterparadijs van Center Parcs. Deze was iets ruiger. Stellen lagen hier achter te seksen terwijl anderen door een gat konden meekijken. Ik moest lachen. Het deed me denken aan zo'n muur met klederdracht erop geschilderd, waar je als kind je hoofd doorheen kon steken. De muur intrigeerde me. Want waarom zou je stiekem door een muur willen kijken terwijl anderen seks hebben? Doe dan mee of blijf thuis, zou ik denken. Daarnaast stonden kleine huisjes waarin je een wildvreemde of bekende swinger tot een hoogtepunt kunt laten komen.

Ik liep rond en zag overal hoppende stelletjes en kwam tot een confronterende conclusie: wat ben ik saai. Ja, het bad zag er best aanlokkelijk uit, maar zou ik daar in willen duiken om met mijn man seks te hebben met een ander? Om maar niet te spreken over het liedje waarop iedereen zich uitkleedde, zou ik dat kunnen? Kon ik mijzelf de volgende dag dan nog serieus nemen? Ik begreep deze mensen wel. Volledig ontdaan van allerlei gevoelens en verwachtingen die gepaard gaan met een relatie – jaloersheid, monogaam blijven, intiem zijn met een ander – voelen ze zich vrij. Maar terwijl ik de aanschouwende journalist speelde, voelde ik geen enkele drang om participerende journalist te worden.

Wie weet over een paar jaar als mijn relatie in het slop zit, dat ik mijn mening herzie. En dat ik om twaalf uur zing: 'Het is de tijd, de hoogste tijd, ik ga u neuken, mooie gast en lekkere meid. En dag mevrouw en dag meneer, u mag de volgende keer!'

'Ik kwam aan bij de 'neukmuur', niet te verwarren met de knuffelmuur uit het wildwaterparadijs.'

Spiritueel orga

(12)

'SEKSUELE ENERGIE IS DE
BELANGRIJKSTE LEVENSENERGIE
DIE ER IS, HEB IK ME OOIT
LATEN VERTELLEN.'

sme

Ik hou van seks, maar wel van seks zonder poespas. Ik ben niet een type dat tepelklemmen, latex pakjes en buttplugs in flitsende kleuren op het nachtkastje heeft liggen. Wel blink ik uit in het ontdekken van plekjes in en om het huis. De badkamer, het washok, de auto, het balkon, het aanrecht, ik hou van afwisseling. Ik heb best veel seks, al is het alleen maar omdat het heel gezond is.

Spiritueel orgasme 12

Ooit kreeg ik de tip: laat je man nooit volgeladen de straat op gaan, dat geeft problemen. Hoe hartelijk ik ook om die opmerking heb gelachen, eigenlijk ben ik het er wel mee eens. Want mannen die weinig seks krijgen, worden beesten. En dus zorg ik dat die van mij nooit te kort komt. Al met al ben ik dus een huis-tuin-en-keukentype, maar om daarachter te komen heb ik wel van alles geprobeerd. Zo ook tantra-seks, wat dus eigenlijk geen seks is.

Seksuele energie is de belangrijkste levensenergie die er is, heb ik me ooit laten vertellen door een fervente tantra-beoefenster. De weg van tantra is je losmaken van alle oordelen, van de zaken die ons vastzetten in het leven, zodat je open en vrij kunt bewegen, ervaren en leven. Waar je in seksualiteit vaak toewerkt naar een hoogtepunt, laat je in tantra de prestatiedrang helemaal los en ga je alleen maar voelen. Hierdoor beleef je het samenzijn intenser, wat uiteindelijk voor een dieper en voller gevoel van extase zorgt. Klonk veelbelovend, maar hoe gaat dit precies in zijn werk? Ik besloot ooit een beginnershandleiding te raadplegen.

'Het doel van tantraseks is om één te worden met je partner op emotioneel en spiritueel vlak, om die positieve liefdesenergie door te geven,' las ik. 'Je zult seks veel intenser beleven door middel van beminnen en meditatie. Het is niet de bedoeling dat één van de partners het overwicht heeft. Niet het lichamelijke primeert, het is de ontmoeting van twee geesten die voorop staat.' Niet bonken maar pronken dus, als ik het goed begreep. Het ging hier niet om het klaarkomen, zoals we in het Westen gewend zijn. Het was meer een spiritueel iets, waar je met je partner voor open dient te staan. En iedereen kon het uitoefenen, als je er maar tijd in stak. Met andere woorden: het is mogelijk om urenlang te presteren en ondertussen mentale orgasmen te beleven. Dit zou hetzelfde gevoel moeten geven als wanneer je klaarkomt. Hierdoor zou letterlijk de energie uit je lichaam spuiten. De vrouwen leren met tantra het orgasme door hun hele lichaam te beleven. Mijn enthousiasme steeg met de bladzijde. Dit wilde ik uitproberen!

Mijn lief en ik vlijden ons op het kleed in de woonkamer van mijn kleine huis in Amsterdam. Ik las het hoofdstuk 'Voorbereiding' voor. 'We hebben nodig: een kalmerende omgeving. Het is zeer belangrijk dat je niet gestoord kunt worden, ruim alle obstakels uit de weg.' Ik haalde alles uit mijn huis: mijn dierbare porseleinen vaas uit de Filippijnen, mijn palmplant, de schildersezel, mijn bijzettafel en mijn paspop. Het leek wel een volksverhuizing.

KAREZZA

Karezza stamt af van het Italiaanse carezza, dat liefkozing betekent. Karezza is een tedere, liefdevolle manier van vrijen. Het lijkt erg op tantra, maar dan zonder de uitgebreide levensvisie. De gynaecologe Alice Bunker Stockham is de bedenker van karezza en schreef in 1896 een boek over deze manier van slow-seks bedrijven. Door langzame bewegingen kan men geheel opgaan in elkaar en als het ware met elkaar versmelten. Een orgasme is niet het doel, de nadruk ligt op genegenheid.

Vervolgens probeerde ik, zoals het boek zei, 'de juiste sfeer te creëren'. Ik stak vijftig waxinelichtjes aan, koos een zwoel muziekje uit en zette voor het gemak een hele bos wierook in de fik. Dit laatste werkte nogal op mijn longen, maar dat mocht onze spirituele ervaring niet drukken.

Ik keek mijn schatje aan, die dit echt voor mij deed. Met forse tegenzin had hij zich in dit avontuur laten meeslepen. Desalniettemin deed hij sportief mee, alles voor de liefde (of was het de seks?).

'Doe je ogen maar dicht,' zei ik en hij sloot ze met een zucht.

'Goed zo. Echt, je kunt hier veel orgasmen uit slepen, laten we het op zijn minst een kans geven,' stimuleerde ik hem.

De wierook zorgde helaas voor afleiding in een huis van vijftig vierkante meter. Het stond inmiddels blauw en ik zag dat er tranen vanachter de gesloten ogen van mijn lief naar beneden rolden. En ik wist vrij zeker dat dat niet door de emotie

Wat is tantra?

Tantra is een oude oosterse levensvisie, die draait om zelfbewustzijn, geestelijke verruiming en bevrijding. Tantra vergroot het bewustzijn en laat de levensenergie weer vrij door je lichaam stromen. Door het vergroten van je levensenergie, die gelijkstaat aan je seksuele energie, voel je je sterker en levendiger. Door tantra te beoefenen kun je in alles een bepaalde seksuele energie ontdekken. Dit kan door middel van ademhalingsoefeningen, yoga, meditatie of visualisatie.

'HET DOEL VAN TANTRASEKS IS OM POSITIEVE LEVENSENERGIE DOOR TE GEVEN. EN DAT KAN JE UITEINDELIJK URENLANG PLEZIER OPLEVEREN.'

Tantrische seks

Contactgericht in plaats van doelgericht, dat is het uitgangspunt van tantrische seks. Daardoor kun je urenlang seks hebben. In tantrische seks is een orgasme veel meer dan luttele seconden van euforie. Het is een beleving door heel het lichaam die veel langer kan aanhouden. Vrouwen kunnen door yoni-massage (yoni = Sanskriet voor vagina) intenser leren klaarkomen. Bovendien kunnen vrouwen door de energie bewust met de ademhaling te verbinden een vallei-orgasme beleven. Dat is een sterk gevoel van vredige extase dat heel lang aanhoudt. Mannen kunnen leren urenlang te vrijen en daarbij hun erectie te behouden, zonder tot een orgasme te komen. Wanneer zij uiteindelijk toch tot een orgasme komen, zijn zij in staat de zaadlozing tegen te houden, waardoor de seksuele energie in het lichaam blijft.

van het moment kwam. Ik probeerde me te focussen en las voor: 'We moeten ademen, onze geesten moeten elkaar raken.' Godsamme, wat bedoelden ze hier nu mee? Best lastig als je nog nooit aan tantraseks hebt gedaan en dit is je houvast. Het deed me denken aan een yogales die ik ooit volgde. Ik boekte een les in een dependance van de dansschool. De geur van kaasvoeten in de ruimte bracht mij dan wel in hogere sferen, maar bij 'de kraanvogel' moest ik denken aan Mister Miyagi uit *Karate Kid*. Helaas was ik ook nog zo onhandig om dit hardop te zeggen, waardoor ik de rest van het uur tegen het boze gezicht van mijn buurvrouw aan keek. Zelfs terwijl ze als een taco opgevouwen was, wist ze deze uitdrukking te behouden. Dit fascineerde me zo dat ik nauwelijks meer oog had voor de poses van de lerares.

Ook dit keer moest ik de grootste moeite doen om bij de les te blijven. We begonnen met z'n tweeën wat te hijgen en het moet voor mijn buren (met mijn dunne Amsterdamse wanden) hebben geleken alsof ik op pufcursus zat. We moesten lachen, maar we gaven niet op. 'Kijk elkaar enkele minuten lang stilzwijgend in de ogen,' vervolgde ik op een zwoele, zweverige toon, in de hoop dat dit ons in de mood zou brengen. Maar dat was wishful thinking. Toen we elkaar door de dichte wierookmist probeerden aan te kijken, konden we ons lachen niet meer inhouden en proestten we het uit.

Het had me zo mooi geleken om dieper met elkaar contact te maken, maar we hadden er duidelijk niet het geduld voor om deze sessie tot een hoogtepunt te laten komen. Mijn vriend keek mij aan: 'Neuken?'
Daar hoefde ik niet lang over na te denken. We vreeën, gewoon in missionaris-houding, en het was heerlijk. Geen tantraseks om één te worden met je partner op emotioneel en spiritueel vlak, maar gewoon liefdesenergie in bed, in tien minuten tot een hoogtepunt. En ondanks het feit dat ik geen urenlang orgasme had, was het een verlichting. Nog steeds geloof ik dat het echt kan en dat het heerlijk is, maar ik ben bang dat ik pas tijdens mijn pensioen de rust vind om klaar te komen door in iemands ogen te kijken.

Kamasutra

De Kamasutra (de kunst van de liefde) is voor zover bekend het oudste boek ter wereld over de liefde. Het dateert hoogstwaarschijnlijk uit de vierde eeuw en is samengesteld door Vatsyayana in India. In de Kamasutra worden wijze lessen beschreven over o.a. erotiek, maar ook over deugd en voorspoed. Het is dus niet zozeer een pornografisch werk als wel een boek over een levenswijze waarbij alle aspecten van het bestaan waarin erotiek een grote rol speelt, worden beschreven. Zo worden thema's als overspel, prostitutie, groepsseks, sadomasochisme, mannelijke en vrouwelijke homoseksualiteit en transvestitisme zonder oordeel behandeld. Het huidige India is veel preutser door toedoen van Engelse en islamitische invloeden.

Lees de Kamasutra en ontdek de lotus, matroos, de sofa, de kruiwagen en de schaar.

Standjes

De Kamasutra is in het Westen vooral bekend om de bijzondere standjes. In het oorspronkelijke boek stonden geen illustraties, maar wel beschrijvingen van 64 seksuele handelingen. Deze variëren van een omhelzing of kus tot de meest kunstige standjes met namen als liefdespropeller, spin en acrobaat.

BISCHIERIG

 13 'Ik heb zelf een keer geëxperimenteerd met een vrouw. Na een avond dansen had een meisje dat ik zelf niet goed kende haar pijlen op mij gericht.'

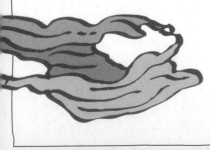

'IK HOUD VAN DE WALLEN; DE SLEAZINESS EN DE ANONIMITEIT FASCINEREN ME.'

Veel mensen stappen 's ochtends een kantoor of winkel binnen om aan het werk te gaan. In mijn geval ligt dat anders. Soms is mijn werkplek de studio, soms een seksshop, soms een GGD-kliniek. En één keer was het de Casa Rosso, een neonroze verlicht grachtenpand waar een van de oudste sekstheaters op de Amsterdamse Wallen zit. Ik houd van de Wallen; de sleaziness en de anonimiteit fascineren me.

Het theater was prachtig, vies, oud en nostalgisch tegelijk. Binnen drong de geur van sperma en schraal bier mijn neus binnen. Het gaf me vreemd genoeg een vertrouwd gevoel. In dit theater worden shows gegeven. Seksshows welteverstaan. Mensen die net als ik naar hun werk gingen, stonden hier 's avonds op het podium seksuele handelingen uit te voeren terwijl een zaal vol publiek toekeek. En blijkbaar niet alleen keek, want de geur en de kleffe bankjes deden meer vermoeden. De Casa Rosso is de hele week open en avond aan avond is het afgeladen. En hoe fascinerend ik de Wallen ook vind, ik moest er niet aan denken om te zien hoe het er hier aan toe ging op een gewone doordeweekse avond. Een zaal vol mannen en toeristen, stelde ik me zo voor. En dan de volgende dag bij de koffiezetmachine tegen je collega zeggen: 'Wat heb jij gister gedaan? Nog *The Voice of Holland* gekeken?' 'Nee, lekker naar het theater geweest.'

'MENSEN DIE NET ALS IK NAAR HUN WERK GINGEN, STONDEN HIER 'S AVONDS OP HET PODIUM SEKSUELE HANDELINGEN UIT TE VOEREN!'

SEXY EXPERIMENT

De kus van Madonna en Britney Spears of de lange tongzoen van Katja Schuurman en Sophie Hilbrand; het kan sexy zijn om te experimenteren met iemand van hetzelfde geslacht. Ook als je niet per se lesbisch of biseksueel bent, kun je als vrouw in diverse kringen volledig geaccepteerd een uitstapje maken.

Er is een verschil tussen seksuele identiteit (noem je jezelf bijvoorbeeld hetero, homo of biseksueel), seksuele voorkeur (waar je je het meest toe aangetrokken voelt) en seksueel gedrag (met wie je seks hebt). Dus wanneer je een keer gezoend hebt met iemand van hetzelfde geslacht betekent dat niet meteen dat je homo of lesbisch bent. Al is het voor de man wel vaak meer beladen.

In diverse culturen blijkt dat bijna twee keer zoveel vrouwen als mannen zichzelf biseksueel noemen, terwijl bijna twee keer zoveel mannen als vrouwen zichzelf homoseksueel noemen.[1] Ook uit Nederlands onderzoek uit 2013[2] blijkt dat vrouwen zich vaker aangetrokken voelen tot het eigen geslacht dan mannen, terwijl mannen vaker dan vrouwen alleen op het eigen geslacht vallen.

on: [1] Lippa 2007
[2] Rutgers WPF

Achter de coulissen ontmoette ik de actrices die vandaag de show zouden geven. Ik had wel vaker hetero stelletjes seks zien hebben, maar dit keer waren het twee vrouwen, die voor de camera technieken gingen voordoen. Dat was ook voor mij nieuw.

Ik heb zelf wel een keer geëxperimenteerd met een meisje. Na een avond dansen met een vriendengroepje had een meisje dat ik zelf niet goed kende haar pijlen op mij gericht. 'Ik heb de laatste trein naar Den Haag gemist, mag ik bij jou slapen?' vroeg ze. Ik wist dat ze lesbisch was, maar we hadden het er nog nooit over gehad. Ik twijfelde. Zou ze iets van me willen of had ze echt geen slaapplek? Nou ja, slapen kon in ieder geval geen kwaad, dacht ik en ik stemde in. Thuis was het overduidelijk waar ze voor kwam. Bij een glas wijn maakte ze haar move. Ik liet haar begaan, nieuwsgierig naar hoe het zou voelen met een meisje. Met een drankje op ging het begin gemakkelijk. Ze streelde en kuste me heel lang en zacht en ik vond het best fijn. Het voelde niet als vrijen met iemand van dezelfde sekse, maar gewoon als vrijen. Tot aan haar borsten snapte ik wat ik moest doen. Wat was ze zacht! Ongemakkelijk, maar zelfverzekerd verkende ik met mijn mond haar hals en nek. Ik kuste en gleed met mijn vingers door haar bruine haren. Ze rook zoet. Zo waren we een tijdje bezig en ik wist dat het moment was aangebroken om het terrein van kussen te verbreden.

Met een man had ik op dit moment aan veilige seks gedacht, maar naïef als ik was, dacht ik: ach,

BISCHIERIGE VROUWEN BELANDEN HET LIEFST TUSSEN DE LAKENS MET ANGELINA JOLIE. OOK KONINGIN MAXIMA, DOUTZEN KROES EN PINK VALLEN GOED IN DE SMAAK.

Bron: Televisiezender TLC

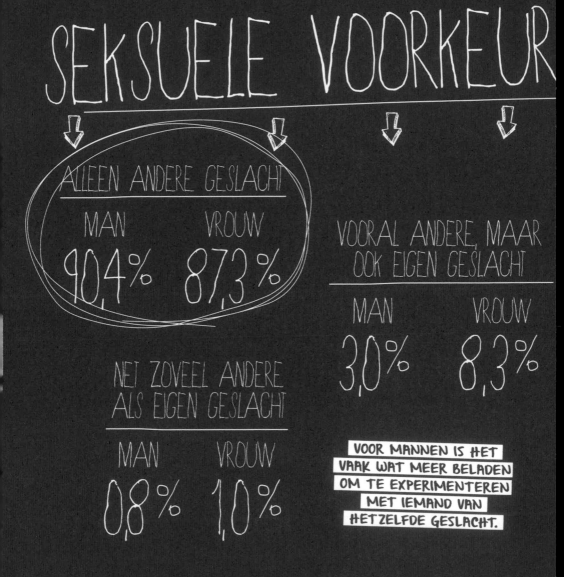

SEKSUELE VOORKEUR

ALLEEN ANDERE GESLACHT

MAN	VROUW
90,4%	87,3%

VOORAL ANDERE, MAAR OOK EIGEN GESLACHT

MAN	VROUW
3,0%	8,3%

NET ZOVEEL ANDERE ALS EIGEN GESLACHT

MAN	VROUW
0,8%	1,0%

VOOR MANNEN IS HET VAAK WAT MEER BELADEN OM TE EXPERIMENTEREN MET IEMAND VAN HETZELFDE GESLACHT.

Bron: Rutgers WPF (2013). *Wat maakt het verschil?* Diversiteit in de seksuele gezondheid van LHBT's.

IN PERCENTAGES

⬇ ⬇ ⬇

VOORAL EIGEN, MAAR OOK ANDERE GESLACHT

MAN	VROUW
1,0%	0,8%

ALLEEN EIGEN GESLACHT

MAN	VROUW
3,8%	1,3%

GEEN VAN BEIDE

MAN	VROUW
0,5%	0,7%

DAT WEET IK (NOG) NIET

MAN	VROUW
0,6%	0,8%

Aantal respondenten:
man 4052 | vrouw 4012

er komt toch geen piemel aan te pas. Ik kroop met mijn vingers naar beneden. Dat was het moment dat ik me realiseerde dat ik niet lesbisch of bi ben. Gedreven en ervaren als zij was, begeleidde ze mijn stuntelige vingers haar broek in. Onhandig probeerde ik haar krappe string in te komen. Veel lastiger dan zo'n boxer met elastiek. Respect voor de man, want wat een onhandig stuk koord. Uiteindelijk vonden mijn vingers de weg. Ik voelde een natuurlijke weerstand bij mezelf opkomen. Maar wie A zegt, moet ook B zeggen. Onder het mom van 'je moet alles een keer geprobeerd hebben' raakte ik haar schaamlippen aan. Ik duwde mijn vingers verder naar binnen. Het voelde nat en raar en ik dacht meteen: laat maar. Vies vond ik het. Ik werd er verre van opgewonden van. Wat moest ik nu doen? Ik trok mijn natte hand terug. 'God, is het al zo laat? Ik moet echt gaan slapen,' zei ik, terwijl ik me omdraaide. Ik geneerde me rot dat ik met zo'n cliché op de proppen kwam. Ze had me natuurlijk ook wel door en lachte om me. Ik deed alsof ik net iets te veel gedronken had, plofte achterover in bed en begon licht te snurken. Kinderachtig, maar ik wist niet hoe ik me er op een andere manier uit moest redden. 's Ochtends deed ik net of er niets aan de hand was. Ik heb haar daarna nooit meer gezien.

En nu zou ik voor mijn neus getuige zijn van seks tussen twee vrouwen. De meisjes kenden elkaar niet en toch gingen ze het met elkaar doen. De meiden zouden een handeling voordoen – strelen, vingeren, tongen of likken – en ik zou daar tips van een seksuoloog bij vertellen. Ik las mijn teksten nog even door en kletste met de regisseur. De cameraman bekeek de plek waar we gingen filmen. Het voelde bijna als een gewone werkdag. De meiden praatten met elkaar en kleedden zich langzaam uit. Binnen een mum van tijd waren ze met elkaar aan het vrijen. De handen gleden over de lichaamsdelen, er werd gekust en betast. Ik voelde lichte gêne dat ik bij zo'n intiem moment aanwezig was en aan de gezichten van de collega's van de regie te zien was ik niet de enige. Met blosjes op de wangen keken we naar de jonge vrouwen die elkaar niet kenden, maar heftig vreeën alsof ze verliefd waren. Ik nam plaats op het bed en begon met mijn tekst. Wat had ik toch een bijzondere baan.

Terwijl ik ze flink bezig zag, dacht ik nog even terug aan mijn eigen ervaring en wat ik misschien wel of niet goed deed. Nu zag ik hoe het 'moest'. Deze meiden vreeën vol passie, ik dacht toen ik het zelf deed alleen na. Ik kon mijn hoofd niet stoppen met relativeren. Borsten, vagina, zacht, geen beharing, alles vond ik anders dan normaal. Maar als je – net zoals bij de vrouwen waar ik nu naar keek – alle remmen losgooide, dan is seks gewoon seks. Man-man, vrouw-vrouw, man-vrouw, het maakt niet uit. Het gaat om genot en lust en niet om het verschil of juist de gelijkenis met je eigen lichaam. Ik hoopte maar dat meiden die geïnteresseerd zijn in vrouwenseks wat hadden aan de aflevering en iets beter zouden weten wat te doen als ze in bed liggen met een meisje dan ik.

'DE MEIDEN PRAATTEN MET ELKAAR EN KLEEDDEN ZICH LANGZAAM UIT. BINNEN EEN MUM VAN TIJD WAREN ZE MET ELKAAR AAN HET VRIJEN. DE HANDEN GLEDEN OVER DE LICHAAMSDELEN, ER WERD GEKUST EN BETAST.'

Anders dan

14

'DE VROUW DIE STROOMSTOTEN KREEG LAG TE KREUNEN VAN GENOT. EN DE MAN SCHEEN ZICH OOK OPPERBEST TE VERMAKEN. MAAR IK WAS IN SHOCK.'

anders

Sadomasochisme, pies- en poepseks, bestialiteit, necrofilie, wurgseks; er bestaan behoorlijk wat bizarre soorten seks. Van de meeste had ik wel eens gehoord, maar elektro-seks was ook voor mij nieuw. En ja, de naam laat het al raden: hierbij plaats je elektroden op je geslachtsdeel. Ondertussen bedient je partner met een afstandsbediening of mengpaneel de knoppen. Het is maar wat je lekker vindt.

Anders dan anders   14

Nieuwsgierig naar wat hier prettig aan is, nodigde ik voor de uitzending twee vrijwilligers uit die elektroseks wilden demonstreren. Ze hadden allebei ervaring en hadden zelfs wat spulletjes aangeschaft voor hun nieuwe hobby. 'Laat maar zien,' zei ik enthousiast. Zelden heb ik zoveel spijt gehad van mijn woorden. Het was het engste dat ik ooit mocht aanschouwen. De vrouw had een supersexy uitstraling: diepdonkere ogen, lang krullend haar en een slank lichaam. Terwijl zij zich uitkleedde, ging de man achter een soort dj-set zitten. In het bedompte kamertje dat achter de studio is ingericht voor de 'reallife' opnames, steeg de temperatuur met de minuut.

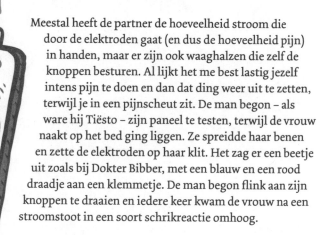

Meestal heeft de partner de hoeveelheid stroom die door de elektroden gaat (en dus de hoeveelheid pijn) in handen, maar er zijn ook waaghalzen die zelf de knoppen besturen. Al lijkt het me best lastig jezelf intens pijn te doen en dan dat ding weer uit te zetten, terwijl je in een pijnscheut zit. De man begon – als ware hij Tiësto – zijn paneel te testen, terwijl de vrouw naakt op het bed ging liggen. Ze spreidde haar benen en zette de elektroden op haar klit. Het zag er een beetje uit zoals bij Dokter Bibber, met een blauw en een rood draadje aan een klemmetje. De man begon flink aan zijn knoppen te draaien en iedere keer kwam de vrouw na een stroomstoot in een soort schrikreactie omhoog.

Ik vroeg mij af of ik dit prettig zou vinden. Als we het over kleine schokjes op gevoelige plekken hadden dan. Dat harde werk zag ik sowieso niet zitten. Ik had wel eens geëxperimenteerd met lichte pijnprikkels door kaarsvet te gebruiken en dat vond ik een groot succes. Niet zozeer de hete brij die over mijn borsten druppelde, maar het gevoel van overgave.

Het was zo'n zes jaar geleden. In ijskoud winterweer fietste ik naar mijn scharrel in de Jordaan. Alle bomen waren bedekt met een laagje sneeuw en op elke brug belandde ik in een nieuwe ansichtkaart. Het was zo mooi dat ik bijna vergat dat mijn tenen en handen eraf vroren. Ik trapte stug door, want ik wilde graag snel bij hem zijn. Niet zozeer omdat ik zin had in seks, maar vooral om zijn gezelschap, zijn warmte. Het was voor de zoveelste keer weer eens uit met mijn 'vriendje', maar deze scharrel kon ik altijd bellen. Hij

'HIGH'

De meeste vormen van sadomasochisme zijn relatief ongevaarlijk. Er worden goede afspraken gemaakt, waardoor er – afgezien van wat eventuele blauwe plekken of schrammen – geen daadwerkelijke schade wordt toegebracht. Er is echter ook een vorm die groter risico met zich meebrengt: asfyxiofilie. Hierbij wordt tijdens het seksspel de zuurstoftoevoer afgesloten. Bijvoorbeeld

door de keel dicht te knijpen of neus en mond af te sluiten met plastic. Door het zuurstoftekort kan een extra 'high' ervaren worden tijdens de seks.

was midden dertig, aantrekkelijk, had een goede baan, een aardig huis, leuke hobby's en was erg lief. Maar het verliefdheidsgevoel waar ik naar op zoek was, ontbrak. In bed daarentegen ontwaakte hij alle vlinders in mijn buik. Hij was een stuk kinkyer dan ik en dat vond ik superspannend. Dus bleef hij in mijn telefoon staan als vaste 'reboundscharrel'. Hij trok wel eens handboeien uit een kastje en dat vond ik best opwindend. Ware het niet dat ik wist dat ik niet zijn vaste vriendin was en die dingen dus ook wel eens om andere polsen hingen. Om diezelfde reden

BDSM

Elektroseks valt onder de categorie sadomasochisme. Sadomasochisme is een combinatie van sadisme (genieten van het pijnigen van anderen) en masochisme (genieten van het ondergaan van pijn). Overigens speelt macht en onmacht een minstens zo grote rol bij de opwinding. Tegenwoordig wordt de internationale term BDSM dan ook meer gebruikt. Dit staat voor Bondage & Discipline (BD), Dominance & Submission (DS), Sadism & Masochism (SM).

In Nederland hebben bijna **11%** van de mannen **EN** RUIM **9%** van de vrouwen sadomasochistische fantasieën.

ZOWEL BIJ DE MANNEN ALS BIJ DE VROUWEN BRENGT 7% DE FANTASIEËN OOK IN PRAKTIJK.

Bron: Seksuele Gezondheid in Nederland 2006

Enkele vormen:

Bondage

vastbinden met
touwen, hand-
of voetboeien.

Spanking

ofwel billenkoek,
met of zonder
zweepje.

IJsblokjes

tegen het
lichaam houden.

Gesmolten kaarsvet

over lichaamsdelen laten druppelen.

Klemmen

op het lichaam, met name
tepelklemmen, wasknijpers.

Elektroseks

kan ook met de elektrische vliegenmepper.

Scherpe voorwerpen

zoals naalden of messen gebruiken voor (dreigen met) lichte beschadiging.

'HIJ PAKTE EEN KAARS VAN HET NACHTKASTJE EN BEGON VET OVER MIJN BORSTEN TE DRUPPELEN.'

mocht hij de (volgens hem schone) vibrators in het nachtkastje laten liggen.

Terwijl ik over de grachten fietste, probeerde ik hem met mijn ijskoude vingers een leesbaar sms'je te sturen dat ik er bijna was. Op de brug zag ik dat zijn voordeur al op een kier stond en hij het met kaarsen gezellig had gemaakt. Ik zette mijn fiets op slot en zag hem op de bank zitten. Het voelde als een sauna toen ik uit de kou naar binnen liep en hem in de gang zoende. Hij nam me mee naar de douche om me te ontdooien. Met onze lichamen tegen elkaar aan stonden we minutenlang onder een stomende douche elkaar vast te houden. Mijn vingers en tenen ontdooiden langzaam. Heel zacht begon hij me te zoenen en ik voelde hoe hij mij met zijn gespierde armen steeds steviger tegen zich aan drukte. Ik sloeg mijn benen om zijn middel en voelde hoe zijn lichaam reageerde. Al vrijend probeerden we naar zijn slaapkamer te manoeuvreren. Met moeite kreeg hij de deur open en stortten we ons op het bed. Eromheen een zee van prachtige kaarsen. Wat mooi en romantisch! Hij gooide me op bed en kuste me overal. Ik probeerde omhoog te komen om op hem te gaan zitten, maar hij duwde me terug op bed. Hij pakte een kaars van het nachtkastje en begon wat vet over mijn borsten te druppelen. Het was heet en onprettig en prettig tegelijk. Het was niet pijnlijk, maar het voelde branderig en gek genoeg heel lekker. Het idee dat hij de touwtjes volledig in handen had, bracht mij in alle staten. Ik wilde hem. Nu. Zou dat gevoel van prikkeling hetzelfde zijn als wat deze vrouw ervoer?

De vrouw die stroomstoten kreeg lag te kreunen van genot. En de man scheen zich ook opperbest te vermaken. Maar ik vond het steeds lastiger om ernaar te kijken. Ik was een beetje in shock. En ik was niet de enige, als ik zo naar dat stuiterende lichaam keek. Mijn gedachten dwaalden af: waar koop je deze spullen eigenlijk? Een mengpaneel met draden, het pakketje deed me denken aan een bom. Daarmee kwam je toch nooit door de douane? Dan bleef je hobby dus beperkt tot de

Benelux. Zou je dit kunnen kopen in een sekswinkel of moest je hiervoor naar de plaatselijke bouwmarkt? Gebruikt de ANWB hetzelfde materiaal? Wel handig als je buurvrouw van dit soort seks houdt en je panne krijgt met je auto, scheelt een hoop gedoe. Rode kabel op rode kabel en gassen maar. Ik draaide door.

'Zou dit wel goed zijn voor je hart?' fluisterde ik in het oor van mijn cameraman, die van de spanning een zweetsnor had staan en met een vragende blik reageerde. De vrouw kwam weer omhoog en viel als een plank neer op het bed. Het leek wel een scène van *The Excorsist*. Dit was alleen geen getergd meisje, maar een heel grote vrouw in opperst genot. Ze gilde het uit en ik hoopte dat de buren - onze studio zit in een Vinex-wijk - niet dachten dat we een schaap aan het slachten waren.

Het leek me zo genoeg, maar Tiësto dacht daar anders over. Hij bleef maar aan die knoppen draaien en de vrouw vloog nu bijna uit het raam. Ik wilde weg hier. O ja, ik moest nog wat vragen. 'Mevrouw, is dit nou lekker?' vroeg ik haar. En plots kwam er een orgasme. O My God. De elektroden schoten zowat tegen mijn keel. Weg was ik.

'Hij bleef maar aan de knoppen draaien en de vrouw vloog bijna uit het raam.'

Helse pijn die leidt tot een orgasme, het moest niet gekker worden. Maar de vrouw vond het geweldig, zei ze. Toen de dag ten einde was, kroop ik lekker tegen mijn vriendje aan in bed. 'Wil je me even vasthouden?' vroeg ik. 'Ik ben bang.' 'Waarom?' 'Laat maar.' Langzaam begon hij in mijn nek te zoenen. O nee, dacht ik. 'Ik heb een beetje rare dag gehad en moet echt niet denken aan seks.' 'Oké,' zei hij een beetje teleurgesteld. En ik was bang dat ik nooit meer zou kunnen vrijen.

Versie

Al eeuwenlang verzinnen we van alles om onszelf mooier te maken. Naast kleding, haardracht en make-up versieren we onszelf met tatoeages, bodypaintings en piercings. Die laatste steken ze tegenwoordig werkelijk overal in het vlees. In wangen, tandvlees, halve oren, neusbruggen, kleine schaamlippen, grote schaamlippen, eikels, pireneums, clitorissen, alles schijnt te kunnen. Liefhebbers vinden het de ultieme prikkeling voor hun seksleven. Mij lijkt het vooral pijnlijk.

⇩

ring

'LIEFHEBBERS VINDEN PIERCINGS DE
ULTIEME PRIKKELING VOOR HUN SEKSLEVEN
EN STEKEN ZE OP DE MEEST BIZARRE
PLEKKEN IN DE HUID.'

Versiering

Ik heb nooit de behoefte gehad een sieraad te laten zetten, niet in mijn oren, laat staan ergens anders. En toen Lex, een van mijn beste vrienden, in geuren en kleuren zijn persoonlijke ervaringen vertelde, was ik helemaal voor altijd genezen. Hij was verliefd op een meisje dat nogal rock-'n-roll was, een knappe jonge vrouw met kort, donker haar. Ze had een indrukwekkende tatoeage van een draak op haar linkerarm en een pin-upgirl op haar rechterarm, droeg korte rokjes met gescheurde panty's eronder en een leren jack. Ze had zo de dochter van Herman Brood kunnen zijn. Ze was heftig, dronk in het café alle mannen eruit en stond regelmatig op tafel mee te blèren met een net iets te zwaar nummer voor een Amsterdamse bruine kroeg. We kwamen haar vaak tegen in het uitgaansleven en dan met name in de kroeg van Lex. Hij had gevoelens voor haar gekregen, maar zij was in vergelijking tot de meisjes waar hij eerder op viel het zwarte schaap. Zijn exen waren netjes, niet al te intelligent, gebruikten veel make-up en waren volledig gestyled. En daar was zij ineens: Monica, met tatoeages, gescheurde kleren én een tongpiercing.

Op een avond zagen mijn vrienden en ik eindelijk dat het meer ging worden tussen Lex en Monica. Zij zat boven op de biljarttafel en zoende Lex alsof haar leven ervan afhing. Het zag er in ieder geval passioneel uit. Na een kwartier aan

JACOBS LADDER

Ook door voorhuid, scrotum, frenulum of perineum wordt met liefde een stuk metaal gejast. En sommigen laten het niet bij één piercing, maar gaan er meteen voor een stuk of twaalf. Zo worden bij de zogenaamde 'Jacobs Ladder' meerdere piercings vlak naast elkaar geplaatst over de gehele lengte van de penis. Een officieel record is niet bekend, maar bij een studie naar genitale piercings dook een man op met maar liefst 75 piercings door zijn lid en klokkenspel.

Pimp je poes

Bij vrouwen is er veel minder variatie doordat zij minder externe genitaliën hebben. Genitale piercings bij de vrouw beperken zich doorgaans tot een piercing door de clitorishoed of door de binnenste of buitenste schaamlip. De piercing door de clitorishoed (het huidkapje dat over de clitoris ligt) kan alleen gezet worden als je hier voldoende ruimte, ofwel genoeg huid hebt. De piercing kan verticaal en horizontaal geplaatst worden. De verticale optie levert het meeste seksueel genot, omdat hij tijdens het vrijen op en neer meebeweegt.

ANDERE PLEKKEN VOOR EEN POESPIERCING: TUSSEN DE VAGINA EN DE ANUS, NET BOVEN HET BEGIN VAN DE BUITENSTE SCHAAMLIPPEN EN DOOR DE URINEBUIS.

Boegroe

De boegroe is een typisch Surinaams verschijnsel, waarbij plastic balletjes ter grootte van een kleine knikker in de penis worden geplaatst, vlak onder de huid. De jongen dient zelf een balletje aan te leveren, bijvoorbeeld uit de dop van een drankfles, die vervolgens door de arts wordt geplaatst. Zo ontstaat een bobbeltje op de penis, of meerdere bobbeltjes wanneer er meerdere boegroes geplaatst worden. De bobbeltjes zouden het seksueel plezier vergroten doordat de penis in omvang toeneemt. Bovendien zou met een boegroe de clitoris makkelijker gestimuleerd worden. De vrouwen lijken echter maar matig enthousiast. Er zijn vrouwen die het opwindend vinden, maar het komt ook voor dat vrouwen het pijnlijk vinden.

elkaar vastgezogen te hebben gezeten, vertrokken ze naar zijn huis.

Twee dagen later had ik met Lex afgesproken in hetzelfde café. 'Hoe is het, Lexie, was ze sexy?' grapte ik iets te hard toen hij naar me toe kwam lopen op het volle terras in de Amsterdamse binnenstad. 'Lexie, sexy met het heksie,' ik was na een paar drankjes op al weer in een vrolijke bui. Maar mijn vriend zag eruit alsof hij niet meer had geslapen sinds het nachtje met Monica.

'Ik moet even met je praten,' zei hij heel zacht. 'Je moet mij echt even vertellen wat normaal is en wat niet. Jij bent ook een losbandige vrouw.'
'Hoe bedoel je, Lex? Ik losbandig? Wat dan?'
'Daar gaat het nu even niet om, het gaat om mij, om mij en Monica.'
'Oké, ik luister.'
'Tja, ze heeft me dus oraal bevredigd.'
'O, en?'
'Nou, ze heeft dus een tongpiercing,' begon hij.
'O god, je bent toch niet gescheurd of gehavend?'
'Nee, het was heerlijk. Die piercing was een grote meerwaarde. Ik vond het een genot.'
'Waarom zie je dan zo bleek?' vroeg ik terwijl ik het eigenlijk niet wilde weten.
'Nou, we hebben twee dagen non-stop orale seks gehad. En iedere keer ging het zover dat ik klaarkwam in haar mond.'
Wat een prachtige vriendschap om dit te kunnen delen, dacht ik.

DE PRINS ALBERT IS EEN VAN DE BEKENDSTE GENITALE PIERCINGS.

Penisbot

Piercings in de genitaliën komen van oudsher voor en hadden vermoedelijk een symbolische of decoratieve functie, maar ook een seksuele functie. Er zijn aanwijzingen gevonden dat in Borneo mannen een bot door de eikel van de penis roegen. In de Kamasutra, het Indiase leerboek over de kunst der liefde, staat:

De mensen in de Zuidelijke landen denken dat werkelijk seksueel plezier niet verkregen kan worden zonder perforatie van de Lingham (Hindu term voor penis), daarom wordt deze gepiercet zoals de oorlellen van een kind voor oorbellen.

Prins Albert

Er zijn veel verschillende soorten genitale piercings bij de man, waarvan de 'Prins Albert' waarschijnlijk de bekendste is. Hierbij wordt een piercing door de eikel gedragen, welke deels door de plasbuis gaat en bij de rand van de eikel naar buiten komt. Deze vorm van piercing is vernoemd naar prins Albert van Saksen-Coburg en Gotha, de man van de Britse koningin Victoria. Het is echter niet duidelijk of hij ook daadwerkelijk zo'n piercing droeg. In die tijd waren de broeken zo strak dat met deze piercing de penis vastgezet kon worden in de broekspijp zodat er geen bobbel zichtbaar zou zijn, zo luidt het verhaal.

Hij begon te ratelen: 'Zonder haar tanden te poetsen is ze gewoon naar haar werk gegaan. Haar hele piercing in haar mond zat vol met, nou ja, je begrijpt het wel. Terwijl ze afscheid nam, zag ik bij ieder woord wit schuim op haar tong. Is dat denk je omdat we orale seks hebben gehad en ik in haar mond kwam en zij haar tanden niet poetst? Terwijl ze sprak, kwamen in haar mondhoeken witte belletjes tevoorschijn. Je weet wel, wat sporters altijd hebben als ze geïnterviewd worden na een wedstrijd. Mijn genot was groter dan mijn afkeer, maar nu na twee dagen vol oraal genot van Magische Mond Monica wil ik er vanaf. Ik kan alleen maar aan dat witte schuim denken.'

'Gadverdamme,' zeg ik.

'Is dat normaal? Is het niet heel onhygiënisch?'

'Uhm, nee, Lex,' zeg ik terwijl ik bijna moet kotsen. 'Dat is niet normaal, dat is heel vies en ik moet hier even van bijkomen.'

'Zullen we wat eten hier?' vraag ik om het onderwerp even te veranderen.

'Lekker,' zegt hij. 'Champignonsoepje?'

Ik denk niet dat het iets met de piercing te maken heeft gehad. Het heksie was waarschijnlijk zelf niet zo fris. Toch heb ik het daarna nooit meer een aantrekkelijke gedachte gevonden. Jammer, want je schijnt onwijs lekker te kunnen tongen met iemand met een piercing. En orale bevrediging met een piercing schijnt voor een vrouw helemaal goddelijk te zijn.

'Mijn genot was groter
dan mijn afkeer.'

Kuisheidsgordel

Het schijnt dat de oude Egyptenaren en Romeinen navelpiercings en tepelpiercings hadden als statussymbool. Bij de oude Romeinen zouden ringetjes door de schaamlippen van vrouwen gefungeerd hebben als kuisheidsgordel en bij mannen zouden ringetjes door de voorhuid worden gebruikt om vreemdgaan te voorkomen. Tegenwoordig hebben genitale piercings vooral een seksuele functie. Via de piercing kan het bewuste lichaamsdeel extra gestimuleerd worden of de partner extra stimuleren. Bovendien bieden piercings sm-liefhebbers tal van mogelijkheden doordat je er eventueel iets aan kunt bevestigen.

VAN ACHTEREN

'Ikzelf laat het heel, heel af en toe erop aankomen.
Op zon- en feestdagen laat ik "het stokbrood in mijn oven".'

De vraag die nooit is beantwoord in mijn carrière bij *Spuiten en Slikken* is waarom mensen (en overwegend mannen) dingen in hun kont stoppen die daar echt niet thuishoren. Wist je dat er een ziekenhuis is waar ze een vitrinekast hebben ingericht met objecten die uit konten zijn gehaald?

VAN ACHTEREN

De kast is zo'n drie bij drie meter groot en staat vol met: barbies, colaflessen, bieropeners, deo-rollers, telefoons, shampooflessen, fototoestellen, closetrollen, boekenleggers, zonnebrillen, schoenveters en pingpongballen.

En aan al die voorwerpen 'kleeft' een eigen verhaal. De meeste zijn 'per ongeluk' in de kont terechtgekomen, zoals de eigenaren van de voorwerpen graag willen doen geloven. Ik vraag mij altijd af hoe iets per ongeluk in je kont komt en dan helemaal hoe er per ongeluk een barbiepop in je aars vastzit.

Het zal ongeveer zo gaan. Het probleem met de kringspier is dat de spier zich sluit wanneer er iets in gaat. Erg handig, want zo loopt er ook niets uit. Anders zouden we de hele dag met een bruine broek rondlopen. Maar het is niet zo handig als je iets voor het genot ín je kont wilt stoppen. Ik begrijp alleen niet waarom je dan moet experimenteren met de barbie van je dochter en niet even op internet een veilig speeltje koopt. Maar dat terzijde.

'AAN AL DIE VOORWERPEN 'KLEEFT' EEN VERHAAL.'

Wat gebeurt er nu met de barbie die in de kont verdwijnt? Je moet het zien als een omgekeerde geboorte. Het schijnt dat de man begint bij de benen en zo de barbie naar binnen werkt. Stel het je even voor: een harige mannenkont waar het vriendelijke plastic hoofd van een barbie uit steekt. Naar mijn idee verre van geil, maar het gaat nu niet om mij. Tot aan het hoofd is de regel, maar in haar enthousiasme gaat de barbie al snel te ver. Haar blonde haren worden gedoopt in een chocoladedip, maar ze blijft standvastig lachen. Wanneer Barbie er te ver is ingestoken, sluit de deur zich en blijft Barbie binnen. Dan kun je met man en macht proberen te persen, te graaien en de barbie proberen te vinden met je vingers, maar helaas. De wet van de natuur houdt de barbie binnen.

En zo komt de man bij de eerste hulp terecht. Natuurlijk met een prachtig verhaal: 'Ik gleed uit over het speelgoed van mijn kind en toen plop...' De man wordt onder narcose gebracht en de barbie wordt eruit gehaald. En na het wassen pronkt de pop in de vitrinekast. Maar het kan nog gekker. Mijn grootste schok had ik ooit in een sekswinkel waar ik moest filmen. In de hoek stond een soort pion. Een heel grote die ze in het verkeer gebruiken of neerzetten wanneer er gedweild is en het glad is. Hij was zo'n halve meter hoog en behoorlijk breed. Op de verpakking las ik: 'Weapon of ass destruction'. 'Oké, dit is voor de sier toch?' vroeg ik hoopvol aan de eigenaar. 'Nee hoor, dit is mijn best verkochte

'ZELFS HET VERLENGSTUK VAN DE STOFZUIGER IS WEL EENS "PER ONGELUK" IN DE KONT TERECHTGEKOMEN.'

product,' antwoordde hij tot mijn ongeloof.

Maar goed, ondanks deze schokkende verhalen kan anale stimulatie natuurlijk ook lekker zijn. Ikzelf laat het heel, heel af en toe erop aankomen. Op zon- en feestdagen laat ik 'het stokbrood toe in mijn oven', zoals mijn vriend Mike de Boer het verwoordt. Ik ben ook de moeilijkste niet, maar ik sta ook niet te springen. Al zou ik het wellicht vaker moeten proberen, want ik ken echte successen. Een bevriend stel doet het zelfs vaker anaal dan vaginaal. Hij schijnt het zo fantastisch aan te pakken dat mijn vriendin niet anders meer wil. Mijn vriendin en ik noemen haar vriend 'de bruine ridder'. 'Eerst verwent hij de voorkant en daarna de achterkant om het af te maken,' zegt ze. Dat klinkt niet echt als een moetje. Ze waren wel al jaren bij elkaar en vertrouwden elkaar door en door voordat ze eraan begonnen. Wel zo fijn, lijkt me, als je je seksleven letterlijk gaat uitbreiden.

DE MEEST BIJZONDERE OBJECTEN DIE IN HET RECTUM AANGETROFFEN WERDEN, WAREN:

DIVERSE SOORTEN FLESSEN

HET VERLENGSTUK VAN DE STOFZUIGER

EEN PRESSE-PAPIER (BIJVOORBEELD EEN STENEN EI)

GROENTE OF FRUIT (KOMKOMMER, COURGETTE, BANAAN)

GEREEDSCHAP (SCHROEVENDRAAIER E.D.)

EEN KOEIENHOORN (IN INDIA NOG WEL, WAAR DE KOEIEN HEILIG ZIJN)

TIPS & TRUCS

CHECK EERST OF BEIDE PARTIJEN ER 'OPEN VOOR STAAN'.

VOOR DE ONTVANGENDE PARTIJ:

Ga na of je eerst moet poepen of middels een klysma je rectum wilt legen.

BOUW HET OP

Denk aan de kringspier die langzaam opent.

CONDOOM

Gebruik een condoom, wel zo fris, zeker als je daarna bijvoorbeeld orale seks hebt.

STOP WANNEER HET PIJN DOET OF BLOEDT.

GLIJMIDDEL

Gebruik glijmiddel. Niet te zuinig, want de anus maakt zelf geen vocht aan. En niet op oliebasis, want dat tast het rubber van het condoom aan.

EN DAARNA: GOED WASSEN.

MANNELIJKE G-SPOT

Bij anale stimulatie kan bij mannen de prostaat gestimuleerd worden, wat zorgt voor extra seksuele prikkeling. Door een vinger anaal in te brengen kan op zo'n 3 à 4 cm diepte aan de buikzijde een verdikking ter grootte van een walnoot gevoeld worden. Een man kan enkel door stimulatie van dit gebied met een vinger of via anale penetratie tot een orgasme komen. Daarnaast is de anus, ook bij de vrouw, zeer gevoelig doordat er veel zenuwuiteinden samenkomen. Vandaar dat anale stimulatie ook fijn kan zijn zonder prostaatstimulatie.

NAAR GELANG DE LEEFTIJD, HEBBEN JONGEREN MEER ANALE SEKS:

VAN DE 18- TOT 21-JARIGEN HEEFT

16%

ERVARING MET ANALE SEKS TEGENOVER

27%

ONDER DE 21- TOT 25-JARIGEN.

Bron: Seks onder je 25e

ERVARING MET ANALE SEKS

 MAN:

 VROUW:

30,6% OOIT → **26,5%** OOIT → TOTAL **28,6%**

 **13%** LAATSTE 6 MAANDEN → **8,1%** LAATSTE 6 MAANDEN → TOTAL **10,6%**

Bron: Seksuele Gezondheid in Nederland 2011

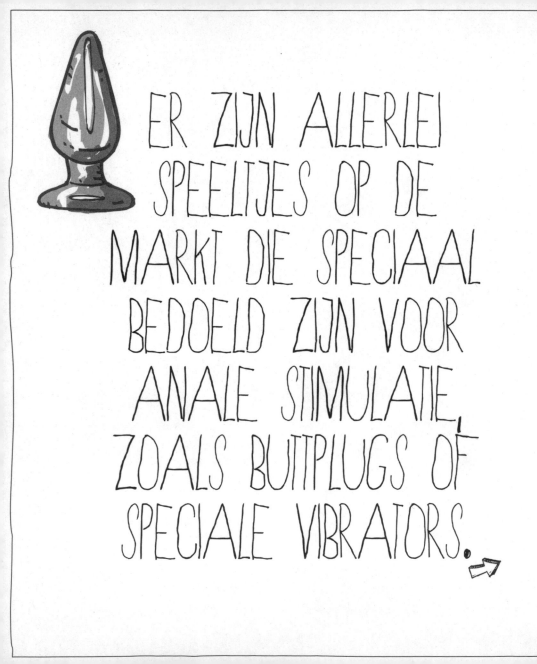

ER ZIJN ALLERLEI SPEELTJES OP DE MARKT DIE SPECIAAL BEDOELD ZIJN VOOR ANALE STIMULATIE, ZOALS BUTTPLUGS OF SPECIALE VIBRATORS.

HET VERDIENT AANBEVELING OM EEN SPEELTJE TE GEBRUIKEN DAT VOOR DIT DOELEINDE ONTWORPEN IS. MET NAME OMDAT DAARBIJ MINDER RISICO BESTAAT DAT HET NAAR BINNEN SCHIET. HET BESPAART JE TOCH EEN VRIJ GÊNANT BEZOEK AAN HET ZIEKENHUIS.

De anale kringspier kan namelijk alleen langzaam openen. Wanneer je – ik noem maar wat – een bierflesje met de tapse kant inbrengt, maar te ver doorduwt, gaat het mis. De anale kringspier zal zich van totaal gesloten ineens moeten openen tot zo'n 6 cm diagonaal om de bodem van het flesje eruit te werken. Dat zal de meeste mensen niet lukken. De kringspier kan wel gewend raken aan het inbrengen van items. Hierdoor wordt het steeds aantrekkelijker om grotere voorwerpen in te brengen om opnieuw die weerstand te voelen. Vandaar waarschijnlijk dat bij gevorderden de pion zo populair is.

'ANALE STIMULATIE KAN ZORGEN VOOR EEN INTENSER ORGASME.'

Zin en

(17)

Seks terwijl je zwanger bent is een absoluut hoogtepunt in de razende rollercoaster waarin je bent beland. De hormonen gieren door je lijf, waardoor je manlief soms haat tot in elke vezel of juist grenzeloos van hem houdt. En dan je seksdrive, die sommige maanden ontbreekt en juist weer voor de deur staat wanneer je eruitziet alsof je een voetbal hebt ingeslikt. Soms wil je hem wel uit elkaar trekken en op andere momenten mag hij niet eens naar je kijken. Het is een heel oneerlijke strijd met jezelf en je geile ik, een strijd die je nooit kunt winnen.

zwanger

'IK KON HET NIET TEGENHOUDEN,
MIJN HORMONEN NAMEN EEN LOOPJE
MET ME. IK WERD WILD.'

Zin & Zwanger 17

Ik was een aantal maanden zwanger en ineens had ik het gevoel helemaal te pakken. Ik had zin in mijn nieuwe leven. Trots op mijn buik en lekker in mijn vel liep ik dagelijks mijn ronde met hond Spot door het Vondelpark. Met een opgeruimd hoofd en een paar vrije weken in het vooruitzicht had ik zin om samen te zijn met manlief. Maar hij dacht daar iets anders over. Ik had namelijk een niet te stoppen drang naar ananas. Op de vreemdste momenten en het kon mij niet schelen hoe hij die zou krijgen. Ook al was het elf uur 's avonds. Hij had mij bevrucht, dus nu moest hij boeten. Ik was als zwangere soms best vredelievend, maar vaak ook in een gevecht. Een gevecht met emotionele gevoelens en dus ook seks. Want ik wilde wel – sterker nog, mijn orgasmen waren tien keer intenser – maar ik zag eruit als een broedkip. En vocht in je kuiten, bovenbenen en billen legt nu eenmaal geen windeieren voor je seksleven. Dus deze broedkip probeerde regelmatig (ook al had ik zin) de dans te ontspringen. Maar soms kon ik het niet tegenhouden en namen mijn hormonen een loopje met me. Ik werd wild.

'Hij had me bevrucht, dus nu moest hij boeten.'

Achteraf probeer ik mij niet te schamen over het feit dat ik met een voetbal in mijn maag hem liep te versieren, complimentjes gaf en dat ik als een wilde tijger over hem heen kroop. Hij die dat natuurlijk 'mooi' vond, want zwangere vrouwen zijn 'mooi'. Maar laten we eerlijk zijn, zwangere vrouwen zijn niet geil. Tenminste voor de meeste mannen niet. Ik ben ooit in Japan geweest en daar hadden ze een hele selectie zwangere vrouwen die een voor een door één of meerdere mannen genomen werden. Best eng dat je een hoogzwangere vrouw neemt, terwijl jouw baby daar niet in zit, toch?

Bij mij en manlief was het toch vooral een moetje. Ik wilde niet, maar mijn hormonen brachten me op heel andere ideeën. Hij wilde waarschijnlijk ook niet, maar durfde de door hormonen gestuurde liefde niet van zijn schoot te werpen. Zo bedreven we in die weken heel ongemakkelijke seks. We probeerden allerlei standjes, maar mijn buik zat in de weg. Bovendien was mijn conditie verslechterd. Als ik een trap op liep, klonk ik als een oude vent die aan het zuurstof moest. En ik had spataderen die bij lichte inspanning pulserend omhoog kwamen, maar die kon je gelukkig (tenminste dat hoopte ik) in het schemerlicht niet zien. Ook had ik gelezen dat seks weeën kon opwekken. Al met al genoeg redenen om het niet te doen. Maar ik was niet voor rede vatbaar.

ZIN VROUWEN

In het eerste trimester van de zwangerschap (grofweg de eerste drie maanden) geldt voor de meeste vrouwen dat zij iets minder zin hebben in seks. Dat komt vooral door de misselijkheid en vermoeidheid die vaak optreden in deze periode.

Bij een vrouw die niet zwanger is, neemt bij seksuele opwinding de borstomvang tot wel 25 procent toe. Doordat bij een zwangere vrouw in de eerste periode de borsten al opzwellen is de extra zwelling bij seksuele opwinding vaak pijnlijk. Het weefsel is nog niet uitgerust voor deze snelle groei.

In het eerste trimester

De eerste drie maanden geldt vaak dat vrouwen en ook hun partner bang zijn een miskraam te veroorzaken door seks, waardoor zij geen seks durven te hebben.

Aan het einde van het eerste trimester

De tweede drie maanden kunnen vrouwen juist een toename ervaren in seksueel verlangen. De organen in het kleine bekken raken sterker doorbloed door de vorderende zwangerschap. Deze versterkte doorbloeding lijkt op de verandering die fysiek optreedt bij seksuele opwinding. In de zwangerschap is er dus eigenlijk continu een situatie die overeenkomt met het begin van seksuele opwinding. Waarschijnlijk heeft een deel van de vrouwen hierdoor meer zin in seks, raakt sneller opgewonden en heeft meer behoefte aan een orgasme.

'TIJDENS DE ZWANGERSCHAP VERANDERT DE HORMOONHUISHOUDING VAN DE VROUW VOORTDUREND EN DAARMEE OOK DE ZIN IN SEKS.'

Het derde trimester

De laatste drie maanden kunnen lichamelijke klachten zoals rugpijn en vermoeidheid de zin in seks weer doen afnemen. Bovendien vormt de dikke buik nu echt een obstakel. Veel standjes zijn niet meer mogelijk en door een afgenomen conditie is een vrijpartij nu vaak een hele opgave. Bovendien verandert in de laatste maand de kwaliteit van het orgasme. Waar voor de zwangerschap de baarmoeder tijdens een orgasme een aantal keer kort samentrekt, zal deze nu één keer lang samentrekken, wat pijnlijk kan zijn.

Bevalling opwekken door seks?

Er zijn geruchten dat de bevalling opgewekt zou kunnen worden door seks. Wanneer prostaglandine – dat in sperma voorkomt – bij de baarmoedermond komt, zou dit de bevalling op gang kunnen brengen. Het lijkt er echter op dat er veel te weinig prostaglandine in één dosis sperma zit om enig effect te hebben. Mogelijk heeft seksuele stimulatie wel een gunstig effect op pijnvermindering. In sommige culturen is genitale stimulatie dan ook een standaardprocedure tijdens het baringsproces.

Fetisj

Er zijn mensen (voornamelijk mannen) die extra opgewonden worden van zwangere vrouwen. Hier is zelfs een term voor: maiesiophilia. Het übervrouwelijke van een zwangerschap, de ronde vormen en de grote borsten, wordt als sexy gezien. Dit komt overigens niet alleen in Japan voor, maar er zijn over de hele wereld mensen met deze zwangerschapsfetisj.

Seksdrive mannen

Bij het meemaken van de eerste zwangerschap heeft 11-22% van de mannen last van lichamelijke klachten (vooral maag-darmklachten) die horen bij de zwangerschap. Mannen maken tijdens een zwangerschapsperiode minder testosteron aan, het hormoon dat een grote rol speelt bij de seksdrive. De hoeveelheid testosteron is sterk afhankelijk van leefstijl, en wanneer de vrouw zwanger is, doet de man het vaak ook wat rustiger aan. Door dit verminderde testosteron verandert ook de seksualiteit van de man.

ZO HEEFT **40%** VAN DE MANNEN HALVERWEGE DE ZWANGERSCHAP MINDER ZIN IN SEKS.

Ik hoef denk ik niet uit te leggen dat de bevalling ook niet echt lustopwekkend was. Als arts mocht mijn lief dan wel vaker bevallingen hebben gedaan, bij je eigen vrouw is het toch anders. Angstaanjagend kreunen, zweten, puffen, bloeden, persen en... poepen. Terwijl ik het niet kon tegenhouden, vroeg ik mij heel kort tussen alle helse pijn door af: hoe gaat ons seksleven er vanaf nu uitzien?

Je vraagt je af of het ooit nog goed komt. Gelukkig kan ik nu uit volle borst zeggen: ja. Gek genoeg is er niets veranderd. Geen gapende grot, geen pijn, geen rare gevoelens na onze bedavonturen met 39 weken zwanger en geen afknappers na de kleurrijke bevalling. Alles is zelfs beter; we hebben een prachtig meisje gekregen en ik heb met mijn man een behoorlijk pijnlijke en emotionele strijd getrotseerd. Hoe sexy is dat?

'We bedreven in die weken heel ongemakkelijke seks. We probeerden allerlei standjes, maar mijn buik zat in de weg.'

Zoetsa

Wat kan seks toch hard zijn. En dan bedoel ik het uiteraard figuurlijk. Ja, ook letterlijk kan het hard zijn, maar dat is een ander hoofdstuk. Ik heb het over verwachtingen, gevoelens en jezelf blootgeven aan iemand. Ik vind het nogal wat. Vooral omdat het toch nog steeds een onderwerp is waar we liever niet over praten. We vertellen iemand nog eerder over onze stoelgang dan dat we een kijkje in de slaapkamer geven.

'BEN JIJ DE SCHARREL, DE VOORBIJGANGER, DE GROTE LIEFDE OF HET RELATIEMATERIAAL? DAT MAAKT TUSSEN DE LAKENS EEN GROOT VERSCHIL.'

Zoetsappig

We weten dat seks net zo natuurlijk is als eten en drinken, slapen en naar het toilet gaan. We weten dat bijna iedereen het doet. In ieder geval jouw ouders en de mijne. Maar erover praten, dat doen we toch liever niet. Al helemaal niet met onze ouders. Met sommige goede vrienden durven we het taboe te doorbreken en blijkt seks ineens een heerlijk onderwerp, waar je uren over kunt doorgaan.

Maar met onbekenden erover praten, vinden de meeste mensen lastig. Laat staan het met een onbekende doen! Bij het kletsen over seks kun je je nog verschuilen achter woorden, grootspraak of grappen. Maar bij het doen met iemand is er niets meer wat je kunt verhullen. Je kunt jezelf hoogstens inpakken in een pikant setje of een kittig pakje, maar dat heeft niets te maken met de emoties die komen kijken bij seks. Je hebt altijd seks met iemand om een reden; omdat je geil bent, omdat je vrijblijvende liefde nodig hebt, omdat je voor altijd met iemand wilt zijn. Daarom hierbij een zelfverzonnen theorie.

ER BESTAAN VIER SOORTEN SEKS:

Seks met de voorbijganger, de scharrel, het relatiemateriaal en de liefde van je leven. En daar zit een groot verschil tussen. Je weet waarschijnlijk precies wat ik bedoel.

DE VOORBIJGANGER

Ben je bekend met de konijnenneuker? Ik wou dat ik hierop nee kon antwoorden en mijn goede vriendin ook. Huilend stond ze bij me op de stoep. 'Hij ramde net zolang door totdat hij klaar was en daarna hoorde ik niets meer van hem.

Schuimbekkend,
zonder me te
kussen, lag hij op
mij te stampen. Bij de
laatste stoot gaf hij een
brul, trok zijn broek omhoog en
pakte een biertje uit de koelkast.' Mijn vriendin vertelde het met horten en stoten.
Ze was niet verliefd op hem, wilde geen relatie, maar had hem wel leuk gevonden
als scharrel. Als hij tenminste ook wat aandacht aan haar had besteed. Maar deze
konijnenneuker was nog slechter dan onze beige kortharige, opgeschoren poedel,
die luisterde naar de naam Juppie. En Juppie had seks met mijn speelgoed. In ieder
onbewaakt moment pakte hij Martijntje Muis om zijn frustraties op te botvieren.
Zelfs Juppie neukte mijn teddybeer met meer bravoure dan de konijnenneuker

Seksfrequentie

Hoe vaak doen we het? Je leest vaak dat twee keer per week het gemiddelde zou zijn. Meestal wordt dan gerefereerd aan een wereldwijd onderzoek van condoommerk Durex. Dit lijkt in het eerste opzicht een groot en dus betrouwbaar onderzoek. Maar let op: dit onderzoek is gesponsord door Durex, de grote condoomfabrikant. En de mensen die de meeste condooms gebruiken, zijn mensen die net bij elkaar zijn. Daarvan weten we dat die het relatief vaak met elkaar doen. Dus de cijfers zijn wat gekleurd door deze specifieke doelgroep. Representatief onderzoek in Nederland geeft een heel ander beeld. Dan blijkt ineens dat maar zo'n 23% het meerdere keren per week doet. De grootste groep (eenderde) doet het zelfs hooguit eens per week.

SEKSFREQUENTIE

Nooit
22,6%

Hooguit één keer per maand
21,3%

Hooguit één keer per week
33,0%

Minstens paar keer per week
23,2%

Bron: Seksuele Gezondheid Nederland 2011

mijn vriendin. Nee, seks met een voorbijganger is meestal niet om over naar huis te schrijven.

DE SCHARREL

Je bent zijn of haar vrije-uitloophaan of -kippetje en ook al zit er meer in het vat, het komt er nooit van. Desalniettemin doe je voor de seks meer dan je best omdat je: 1. hoopt dat hij/zij misschien toch wel een relatie wil, 2. aan je imago moet denken, 3. optimaal wilt genieten tijdens je spaarzame avondjes seks. Seks met de scharrel kan geweldig zijn, maar ook ingewikkeld. Zo had ik ooit een vaste scharrel, die heel leuk was, maar onze relatie beperkte zich tot de slaapkamer (en de badkamer). We durfden het niet over de toekomst of over exclusief zijn voor elkaar te hebben. Raar eigenlijk, want we vonden elkaar heel leuk. Op een avond stelde hij na een wilde vrijpartij voor een filmpje te kijken. 'Gezellig,' riep ik eerst enthousiast en liep naar de keuken om popcorn te maken. Hij stond in zijn mooie, gespierde blote kont voor de dvd-kast en trok daar een filmpje uit. En ineens raakte ik in paniek. Het was een brug te ver voor me. Een film kijken doe je met je relatie en niet met je scharrel. Even dacht ik in een la naar boterhamzakjes te moeten zoeken. Zo benauwd had ik het. Gek, want we hadden net drie uur seks erop zitten en dat kwam blijkbaar minder dichtbij dan samen een film kijken. Ik vroeg hem weg te gaan, terwijl de popcorn nog aan het ontpoppen was. Ik heb de film in mijn eentje gekeken en vond het heerlijk om mijn tranen de vrije loop te kunnen laten gaan bij een romantische scène. Mijn scharrel heb ik daarna nooit meer gezien.

VERLIEFD

In de verliefdheidfase is er vaak seksuele lust en passie in overvloed. Je kunt niet van elkaar afblijven en hebt maar een enkele blik nodig om zin in seks te krijgen. Ongeveer na een jaar of anderhalf jaar verandert dat bij de meeste stellen. De pure lust is niet meer zo vanzelfsprekend. Er is vaak nog wel zin in seks, maar minder vaak en minder hevig. En er is soms iets meer voor nodig om de passie weer aan te wakkeren.

HET RELATIEMATERIAAL

Je bent verliefd, maar je kent hem of haar pas net. Vindt hij/zij jou wel net zo leuk als andersom? Je speelt de wilde seksgod(in) die overal voor in is. Je leert strippen, koopt peperduur ondergoed en geeft orale sessies waar je tongkramp van krijgt. Ondertussen doe je zo je best dat je zelf vergeet te genieten. En als je dan toch geniet, dan met je pornohoofd, geen scheef gezicht en schele ogen als je klaarkomt, maar een zwoele blik en een geile kreun. Je sterft bij een ongelukkige scheet en je houdt drie dagen je kak in als je bij hem/haar logeert (hier hebben mannen over het algemeen minder last van). Het is doodvermoeiend en uiterst irritant, maar je doet er alles aan dat hij de liefde van je leven wordt.

'Je koopt peperduur ondergoed en geeft orale sessies waar je tongkramp van krijgt.'

DE LIEFDE VAN JE LEVEN

Je hebt hem of haar gevonden. Eindelijk, na al die ongemakkelijke vrijpartijen, kortstondige relaties, moeilijke flirts en seksmarathons weet je het: dit is 'the one'. Zo was hij het voor mij ook meteen al. Wat een knappe, onweerstaanbare, lieve, intelligente man, vond ik het. En later bleek hij ook nog meer dan goed in bed. Onze lichamen hoefden niet aan elkaar te wennen. Vanaf het eerste moment waren

Als twee verliefde mensen het eerste jaar iedere keer dat ze seks hebben een boon in een pot doen en vervolgens de jaren erna

'EENDERDE DOET HET HOOGUIT ÉÉN KEER PER WEEK.'

iedere keer dat ze seks hebben een boon uit de pot moeten halen, dan komt de pot nooit leeg.

we goed met z'n tweeën. Hij geniet, maar ook ik durf me te laten gaan en hem te verwennen. Onze seks is geen seks, het is de liefde bedrijven. Soms bedrijven we de liefde op een pornomanier en soms zo teder alsof we een nieuwe baby maken. Dat klinkt misschien suf en saai, maar niets is minder waar. Er komt een dag dat je ieder plekje, gaatje, iedere moedervlek en ieder haartje kent op het lijf van je partner. Sommige mensen vinden dat het dan saai wordt in de slaapkamer. Maar je moet daar een gift van maken in plaats van een zwakte. Want doordat je hem of haar zo goed kent, is het toch heerlijk dat je precies weet hoe je iemand moet verwennen? En er valt altijd wel wat nieuws te ontdekken.

Het fijnste aan seks met de man van mijn leven vind ik dat het altijd goed is. Tussen de televisiereclames door of de hele film lang, ik als een vaatdoek of een ongetemde pornoactrice, het maakt niet uit; het is geil of lekker of gewoon even goed.

'Als vaatdoek of pornoactrice, seks met mijn man is altijd goed.'

Spanning

Met de juiste balans tussen afstand en nabijheid kan de seksuele spanning ook in een langdurige relatie behouden blijven. Wanneer je elkaar net leert kennen is er nog sprake van een relatief grote afstand doordat je elkaar nog moet leren kennen. Dit gaat niet zozeer om fysieke afstand, maar om dat je nog niet volledig met elkaar verweven bent. Seksuele spanning floreert goed bij een grote mate van afstand. Hoe langer je bij elkaar bent, hoe meer je aan elkaar gewend raakt en hoe sterker de nabijheid wordt. Je kent elkaar door en door en leert ook de minder aantrekkelijke kanten kennen, zoals een ochtendhumeur of snurken. Te veel nabijheid is funest voor de seksuele spanning. Een manier om de passie weer wat aan te wakkeren is om weer wat meer afstand te creëren. Onderneem eens iets zonder de ander, ga weer eens ouderwets samen op date zoals je in de verliefdheidfase deed.

Meer lezen? Esther Perel heeft hier een mooi boek over geschreven: Erotische Intelligentie. En de Amerikaanse seksuoloog David Schnarch heeft hier een gedachtegoed over ontwikkeld dat beschreven staat in Seks Drive.

Literatuurlijst

Aggarwal, G., Satsangi, B., Raikwar, R., Shukla, S. & Mathur R. (2011). *Unusual rectal foreign body presenting as intestinal obstruction: A case report.* Ulus Travma Acil Cerrahi Derg., 17(4), 374-376.

Alpert, J.S. (2013). *Philematology: The science of kissing. A message for the marital month of June.* The American Journal of Medicine, 126(6), 466.

Anderson, W.R., Summerton, D.J., Sharma, D.M. & Holmes, S.A. (2003). *The urologist's guide to genital piercing.* British Journal of Urology International,

91(3), 245-251.

Armstrong, N.R. & Wilson, J.D. (2006). *"Did the 'Brazilian' kill the pubic louse?".* Sexually Transmitted Infections, 82, 265-266.

Bakker, F. & Vanwesenbeeck, I. (2007). *Seksuele gezondheid in Nederland 2006.* Delft: Eburon.

Bollen, K. (2011). *Het Schaamhaarboek.* Antwerpen: Standaard Uitgeverij.

Bijen, M., & Brunnekreef, C. (2012). Factsheet *Swingers & Seksualiteit.*

Enschede: GGD Twente.

Daniélou, A. (vertaler uit het Sanskriet), (2004). *Kamasutra, Eerste onverkorte editie van het klassieke leerboek der liefde.* Haarlem: Altamira-Becht.

Desai B. (2011). Visual diagnosis: Rectal foreign body: *A primer for emergency physicians.* International Journal of Emergency Medicine, 7(4), 73.

Floyd, K., Boren, J.P., Hannawa, A.F., Hesse, C., McEwan, B. Veksler A.E. (2009). *Kissing in marital and cohabiting* relationships: *Effects on blood lipids, stress, and relationship satisfaction.* Western Journal of Communication, 73(2), 113-133.

Gianotten, W. & Brewaeys, A. (2009). *Seksualiteit, fertiliteit en infertiliteit.* In: Gijs, L., Gianotten, W., Vanwesenbeeck, I. & Weijenborg, Ph. (red). Seksuologie. Houten: Bohn Stafleu 553-567. van Loghum.

De Graaf, H. (2012). *Seksueel gedrag en seksuele beleving in Nederland.* Tijdschrift voor Seksuologie, 36(2), 87-97.

De Graaf, H., Kruijer, H., van Acker, J. & Meijer, S. (2012). *Seks onder je 25e, Seksuele gezondheid van jongeren in Nederland anno 2012.* Delft: Eburon.

De Graaf, H. & Woering, G. (2009). *Pornogebruik: de samenhang met verlangens en gedrag.* Tijdschrift voor Seksuologie, 33(2), 127-133.

Groeneveld, N. (2013). *Sexbijbel voor vrouwen.* Men's Health. Utrecht: A.W. Bruna/Lev.

De Groot, E.R., Spiering, M., Both, S., de Bruijn, W., Gritter, B. & Rommens, P.

(2006). *Het formaat van de penis: Was will der Mensch?* Tijdschrift voor Seksuologie 30(3), 150-159.

Kasotakis, G., Roediger, L. & Mittal, S. (2012). *Rectal foreign bodies: A case report and review of the literature.* International Journal of Surgery Case Reports, 3(3), 111-115.

Lipperts, A. & Oosterhuis, H. (2010). *Tussen wal en schip, De moeizame emancipatie van biseksualiteit.* Tijdschrift voor Seksuologie, 34(1), 3-18.

Lloyd, J.N., Crouch, S.,

Minto, C.L., Liao, L.M. & Creighton, S.M. (2005). *Female genital appearance: 'normality' unfolds.* British Journal of Obstetrics and Gynaecology, 112(5), 643-646.

Money, J. (1986). Lovemaps: *Sexual/Erotic Health And Pathology, Paraphilia, And Gender Transposition In Childhood and Adolescence and Maturity.* New York:

Prometheus Books.
Nelius, T., Armstrong, M.L., Rinard, K., Young, C., Hogan, L. & Angel, E. (2011). *Genital Piercings: Diagnostic and Therapeutic Implications for Urologists.*

Urology, 78(5), 998-1007. Rietbergen, M.M., Leemans, C.R., Bloemena, E., Heideman, D.A.M., Braakhuis, B.J.M., Hesselink, A.T., Witte, B.I., Baatenburg de Jong, R.J., Meijer, C.J.L.M., Snijders, P.J.F. & Brakenhoff, R.H. (2013). *Increasing prevalence rates of HPV attributable oropharyngeal squamous cell carcinomas in the Netherlands as assessed by a validated test algorithm.* International Journal of Cancer, 132(7), 1565-1571.

Royal College of Physicians (2011). *Alcohol and sex; a cocktail for poor sexual health. A report*

of the alcohol and sexual health working party. London: Royal College of Physicians.

Ruiz del Castillo, J., Sellés Dechent, R., Millán Scheiding, M., Zumárraga Navas, P. & Asencio Arana, F. (2001). *Colorectal trauma caused by foreign bodies introduced during sexual activity: diagnosis and management.* Rev Esp Enferm Dig., 93(10), 631-634.

Rutgers WPF (2013). *Wat maakt het verschil? Diversiteit in de seksuele gezondheid van LHBT's.* Utrecht: Rutgers WPF.

Sandroni P. (2001). *Aphrodisiacs past and present: a historical review.* Clinical Autonomic Research. 11(5):303-307.

Stichting HIV Monitoring (2012). *Monitoring report 2012; Human immunodeficiency virus (HIV) infections in the Netherlands.* Amsterdam: Stichting HIV Monitoring.

Stoeckart, R., Swaab, D., Gijs, L., de Ronde, P. & Slob, K. (2009). *Biologie van de seksualiteit; endocrinologische en fysiologische aspecten.* In: Gijs, L., Gianotten, W., Vanwesenbeeck, I. & Weijenborg, P. (red.), Seksuologie. Houten: Bohn Stafleu 69-127. van Loghum.

Verschuren, J. & van Lankveld, J. (2010). *Annual Meeting van de International Academy of Sex Research.* Tijdschrift voor Seksuologie, 34(2), 104-108.

Weijenborg, Ph. (2006). *'Designer vagina's', Een issue voor seksuologen?* Tijdschrift voor Seksuologie, 30(4), 181-186.

CONDOMERIE.NL
GUINESSWORLDRECORDS.COM
JELLINEK.NL
MAILFEMALE.COM
SOAAIDS.NL
SENSE.INFO
SEXYLABIA.COM
UNAIDS.ORG